LES ÉCURIES
D'AUGIAS

AGATHA CHRISTIE

LES ÉCURIES D'AUGIAS

(LES TRAVAUX D'HERCULE - 2)

Traduit de l'anglais par Monique Thiès

LIBRAIRIE DES CHAMPS-ÉLYSÉES

*Cet ouvrage est la seconde partie du recueil
de nouvelles paru sous le titre original :*

THE LABOURS OF HERCULES

LES ÉCURIES D'AUGIAS
(The augean stables)

— La situation est extrêmement délicate, monsieur Poirot.

Un léger sourire flotta sur les lèvres du détective
qui se retint de répliquer : « C'est toujours le cas ! »
Au lieu de quoi il se composa un visage compassé et
affecta l'attention la plus flatteuse.

Sir George Conway poursuivait avec une lenteur
pachydermique. Les phrases creuses succédaient aux
phrases creuses : la situation extrêmement délicate
du gouvernement... l'intérêt public... la solidarité du
Parti... la nécessité de présenter un front uni... le
pouvoir de la presse... la prospérité du pays...

Tout cela sonnait très bien... et ne voulait rien dire.
Hercule Poirot sentait, dans la mâchoire, la douleur
bien connue que ne tarde pas à provoquer une envie
de bâiller refrénée.

Il s'efforça à la patience. Sir George Conway lui
était sympathique. Il voulait, c'était évident, lui con-
fier quelque chose mais, comme tout politicien qui se
respecte, il avait oublié l'art de parler avec simplicité.
Pour lui, les mots étaient devenus un moyen de noyer
le poisson et non d'éclairer la lanterne. Il était passé
maître dans l'art de prononcer des phrases splendides
et vides de sens.

Les mots continuaient à tomber de ses lèvres. Cela

eût pu durer encore des heures... Mais soudain, devenu d'un beau rouge pivoine, il lança un regard de désespoir à l'homme assis derrière le bureau, Edward Ferrier.

— D'accord, George, intervint Ferrier. Je vais le lui dire.

Hercule Poirot quitta des yeux le ministre de l'Intérieur pour regarder le Premier ministre. Edward Ferrier l'intéressait, d'autant qu'il se souvenait d'une phrase tombée des lèvres d'un vieux monsieur de quatre-vingt-deux ans. Le Pr Fergus Mac Leod, après avoir démasqué un meurtrier en résolvant un épineux problème de chimie, avait, un temps, flirté avec la politique. Quand le célèbre et très populaire John Hammett (à présent lord Cornworthy) avait pris sa retraite, on avait demandé à son gendre, Edward Ferrier, de former un cabinet. N'ayant pas atteint la cinquantaine, il était jeune pour un politicien. « Ferrier a été l'un de mes élèves, avait dit le Pr Mac Leod. C'est un type bien. »

Le professeur n'avait rien déclaré de plus mais, pour Poirot, cette définition lapidaire, émanant d'un homme qu'il admirait sans réserve, signifiait beaucoup.

D'ailleurs, l'estime du public avait confirmé ce jugement : Edward Ferrier n'était pas brillant, ne possédait guère de qualités d'orateur, mais c'était un type bien. Il avait épousé la fille de John Hammett qui, lui, était particulièrement cher au cœur de chaque Anglais, et il semblait digne de succéder à l'homme dont il avait été longtemps le bras droit et, en un mot, parfaitement apte à gouverner selon la « tradition Hammett ».

Car John Hammett avait su, au cours de sa carrière, s'attacher à la fois le peuple et la presse de Grande-Bretagne. Il possédait les qualités qui faisaient dire de lui : « On sent tout de suite que Ham-

6

mett est *honnête* ! » On contait des anecdotes sur sa vie de famille, très simple, sur son amour du jardinage. De même qu'on avait parlé du parapluie de Chamberlain, on citait l'imperméable de Hammett, symbole du climat anglais et qu'il ne quittait jamais.

De plus, il avait de la prestance. Grand, il se tenait très droit. De sa mère, qui était danoise, il avait hérité les cheveux blonds et les yeux bleus. Premier lord de l'Amirauté pendant plusieurs années, on l'avait surnommé « le Viking ». L'Angleterre avait tremblé quand il avait dû prendre sa retraite pour raisons de santé. Qui allait-on mettre à sa place ? Elle avait poussé un immense soupir de soulagement en apprenant que ce serait Edward Ferrier, gendre de son idole.

Hercule Poirot regardait l'homme calme, à l'agréable voix grave, qui lui faisait face. Assez maigre, il avait l'air las.

— Peut-être, monsieur Poirot, dit-il, connaissez-vous l'hebdomadaire *les Rayons X* ?

— J'ai eu l'occasion de le parcourir, admit Poirot un peu gêné.

— Alors, vous savez en quoi il consiste, dit le Premier ministre. Semi-diffamation, allusions plus ou moins voilées à des secrets d'Etat mi-partie exacts, mi-partie inventés, le tout servi avec l'assaisonnement adéquat... Depuis quinze jours, cette feuille prépare ses lecteurs à la découverte imminente d'un scandale de première grandeur dans « les plus hautes sphères politiques », à « d'étonnantes révélations de corruption et de malversations ».

Hercule Poirot haussa les épaules :

— Le truc habituel. Le jour des fameuses révélations venu, le lecteur épris de sensations est généralement déçu.

— Cette fois-ci, il ne le sera pas, répliqua Ferrier sèchement.

— Vous connaissez donc la nature de ces révélations ?

— Presque exactement.

Edward Ferrier se tut une minute avant de s'expliquer, lentement, avec précaution.

Son récit n'avait rien d'édifiant. L'histoire traçait de l'ex-Premier ministre John Hammett un portrait peu flatteur ; on l'accusait d'avoir dilapidé les fonds du Parti, d'être un escroc, d'avoir profité de sa situation pour amasser une fortune colossale.

Le Premier ministre se tut, enfin, et le ministre de l'Intérieur poussa un véritable rugissement.

— C'est monstrueux ! s'écria-t-il. *Monstrueux !* Cette crapule, ce Perry qui fait paraître ce torchon, est à fusiller !

— Ces prétendues révélations sont destinées à paraître dans *les Rayons X* ? demanda Poirot.

— Oui.

— Quelles mesures entendez-vous prendre ?

— Ces révélations constituent une accusation personnelle contre John Hammett, dit lentement Ferrier. Il peut attaquer le journal en diffamation.

— Le fera-t-il ?

— Non. C'est vraisemblablement ce que souhaitent les gens. Cela leur ferait une énorme publicité. Toute l'affaire serait étalée au grand jour.

— Cependant, s'ils perdaient le procès, cela leur coûterait très cher.

— Ils peuvent ne pas perdre, dit Ferrier, la voix sourde.

— Pourquoi ?

— A mon avis..., commença sir George.

Mais Ferrier lui coupa la parole :

— Parce que ce qu'ils ont l'intention de publier... est vrai.

— Edward, mon cher ! s'écria sir George, scandalisé d'une telle franchise si peu parlementaire.

Le fantôme d'un sourire passa sur le visage las de Ferrier.

— Malheureusement, George, il est des moments où la vérité doit être dite. C'est le cas.

— Vous comprendrez, monsieur Poirot, dit sir George très agité, que tout ceci est absolument confidentiel. Pas un mot...

— Monsieur Poirot comprend parfaitement, intervint Ferrier. Mais peut-être ne sait-il pas que tout l'avenir du Parti du peuple est en jeu. John Hammett, monsieur Poirot, *était* le Parti. Pour le peuple anglais, il personnifiait la probité, l'honnêteté. Nous n'avons jamais passé pour être des gens brillants, mais nous avions la réputation de faire de notre mieux, honnêtement. Et notre malheur veut que l'homme qui fut notre figure de proue, l'honnête homme du peuple par excellence a, en fait, été l'une des pires crapules de sa génération.

Une fois encore, sir George gronda.

— *Vous* ne saviez rien de cela ? demanda Poirot.

Le pâle sourire reparut sur les traits las du Premier ministre.

— Peut-être ne me croirez-vous pas mais, comme tous les autres, j'ai été totalement abusé. Je ne comprenais pas l'attitude curieusement réservée de ma femme vis-à-vis de son père... Elle connaissait son véritable caractère. Quand la vérité a commencé à se faire jour, j'ai tout d'abord été incrédule, horrifié. Nous avons contraint mon beau-père à donner sa démission, pour raisons de santé, avons-nous prétendu. Puis nous nous sommes mis à l'ouvrage, pour nettoyer...

— Les écuries d'Augias ! grommela sir George.

Poirot eut un léger sursaut.

— Mais, poursuivit Ferrier, la tâche sera trop herculéenne pour nous. Quand les faits seront rendus publics, il y aura un sursaut dans tout le pays. Le gouvernement tombera. Everhard et son parti reprendront le pouvoir. Vous connaissez la politique d'Everhard ? Il est habile mais téméraire, belliqueux et dépourvu du sens de la mesure. Ses supporters sont incapables et mous... ce sera la dictature.

— Si seulement on pouvait étouffer tout cela ! s'écria sir George.

Lentement, le Premier ministre secoua la tête.

— Vous ne croyez pas que ce soit possible ? demanda Poirot.

— Monsieur Poirot, je vous ai demandé de venir car vous êtes mon dernier espoir. L'affaire est trop importante, trop de gens sont au courant pour qu'on puisse songer à l'étouffer. L'emploi de la force ? La corruption ? Impossible et inutile. Le ministre de l'Intérieur a fait allusion aux écuries d'Augias. Oui, il faudrait la puissance d'un fleuve en crue... un miracle, en fait.

— Vous avez besoin d'un Hercule, approuva Poirot avec satisfaction. C'est mon nom, vous ne l'ignorez pas...

— Pouvez-vous faire des miracles, monsieur Poirot ?

— Sans doute le croyez-vous puisque vous m'avez fait appeler.

— C'est exact... j'ai pensé que le secours, s'il est possible, ne pourrait venir que par des moyens tout à fait inhabituels. John Hammett était un escroc. Peut-on bâtir un édifice solide sur des fondations pourries ? Je l'ignore. Mais je veux essayer. (Il sourit avec amertume.) Les politiciens, c'est bien connu, tiennent à rester en place pour les raisons les plus nobles !

Hercule Poirot se leva.

— Monsieur, dit-il, l'expérience m'a amené à n'avoir qu'une opinion peu flatteuse des politiciens. Si John Hammett était encore en activité, je ne lèverais pas le petit doigt pour lui. Mais, de vous, je sais une chose qui m'a été dite par l'un des plus grands savants actuels. *Vous êtes un type bien*. Je ferai ce que je pourrai.

Il s'inclina et quitta la pièce.

— Ah ! ça, par exemple, quel aplomb ! s'écria sir George.

— C'était le plus beau des compliments, dit Edward Ferrier.

Comme Poirot descendait l'escalier, une grande femme blonde vint au-devant de lui.

— Monsieur Poirot, voulez-vous me faire l'amabilité d'entrer un instant chez moi, s'il vous plaît ?

Il la suivit dans un salon dont elle referma soigneusement la porte sur eux. Elle lui désigna un siège, lui offrit une cigarette.

— Vous venez de voir mon mari, n'est-ce pas ? dit-elle d'une voix calme. Et il vous a mis au courant... en ce qui concerne mon père.

Poirot la regarda avec attention. Elle était jolie et les traits de son visage indiquaient du caractère, de l'intelligence. Femme du Premier ministre, c'était une figure populaire ; fille de John Hammett, elle l'était davantage encore.

Epouse dévouée, mère attentive, Dagmar Ferrier s'intéressait à la vie officielle dans ce qu'elle avait de féminin. Elle s'habillait bien, mais non pas à la dernière mode. Elle se consacrait à nombre d'œuvres de charité et elle avait mis sur pied un programme spécial pour aider les femmes de chômeurs. Le pays tout entier la respectait et l'aimait. C'était l'un des atouts les plus sûrs du Parti.

— Vous devez être terriblement tourmentée, madame, dit Poirot.

— Oh ! oui... vous ne pouvez savoir à quel point. Depuis des années j'ai craint... quelque chose.

— Vous ne saviez pas au juste de quoi il s'agissait ?

— Non, pas le moins du monde. Je savais seulement que mon père n'était pas... ce que chacun croyait qu'il était. Enfant déjà, je m'étais rendu compte que... que c'était un imposteur.

Sa voix se mit à trembler.

— ... C'est pour m'avoir épousée qu'Edward... qu'Edward va tout perdre.

— Avez-vous des ennemis, madame ? demanda Poirot, très calme.

Elle le regarda, surprise.

— Des ennemis ? Je ne le crois pas.

— Et pourtant, dit Poirot songeur, moi je le crois.

Il s'anima brusquement :

— Etes-vous courageuse, madame ? On s'apprête à mener une grande campagne... contre votre mari... et contre vous-même. Il faut vous préparer à la défense.

— Mais pour moi, ça n'a aucune importance ! s'écria-t-elle. Seul Edward compte !

— Qui dit l'un dit l'autre. Souvenez-vous, madame : vous êtes la femme de César.

Il la vit pâlir.

— Que cherchez-vous à me dire ? demanda-t-elle en se penchant vers lui.

Installé derrière son bureau, Percy Perry, rédacteur des *Rayons X*, fumait avec volupté.

Il était petit et il avait une tête de belette.

— Oui, disait-il d'une voix douce, onctueuse. Oui, on leur déballera leur ordure. Ils y auront droit ! C'est du tonnerre, mon vieux !

Son adjoint, un jeune homme à lunettes, le regardait d'un air un peu inquiet.

— Tu n'as pas un peu peur ? demanda-t-il.

— Tu t'attends à une réaction en force ? Rien à

craindre. Ils n'ont pas assez de tripes pour ça. D'ailleurs, ça leur servirait à quoi ? Maintenant qu'on a tout préparé, aussi bien ici que sur le Continent et aux Etats-Unis...

— Ils doivent tout de même se savoir dans un beau pétrin. Ils vont bien faire quelque chose, non ?

— Si, bien sûr ! Ils vont envoyer quelqu'un discuter bien gentiment...

A cet instant, la sonnerie de l'interphone grésilla. Percy Perry leva le récepteur.

— Qui cela ? Bon, faites entrer.

Il raccrocha, eut un sourire en coin.

— Ils se sont assuré les services de ce drôle de Belge ! Il vient faire son numéro. Il veut savoir si on va jouer le jeu.

Hercule Poirot fit son entrée. Habillé avec un soin extrême, il portait un gardénia blanc à la boutonnière.

— Enchanté de faire votre connaissance, monsieur Poirot, dit Percy Perry. Vous vous rendez aux courses à Ascot ? Non ? Oh ! je croyais.

— Je suis flatté, répondit le détective. Mais qui ne souhaiterait faire bonne impression ? ajouta-t-il en regardant avec innocence le visage ingrat et la tenue plutôt négligée du journaliste. La tentation en est d'ailleurs d'autant plus vive que l'on a peu d'avantages naturels.

— A quel sujet désirez-vous me voir ? coupa Perry d'un ton froid.

Poirot se pencha en avant, lui tapota le genou et, avec un sourire lumineux :

— Chantage.

— Que diable voulez-vous dire ?

— Mon petit doigt m'a confié que... à certaines occasions, alors que vous étiez sur le point de faire paraître certains articles de poids dans votre journal si spirituel, votre compte en banque a enflé brusquement... et les articles n'ont pas paru.

Poirot se redressa et hocha la tête d'un air satisfait.

— Vous rendez-vous compte que cela frise la diffamation ? dit l'autre.

Poirot sourit avec assurance.

— Je suis sûr que vous ne vous en formalisez pas.

— Bien au contraire ! Et je vous défie bien de prouver que j'aie jamais fait chanter qui que ce soit !

— Mais non ! mais non ! j'en suis persuadé. Vous m'avez mal compris. Je ne vous menace pas du tout. Je posais une simple question. *Combien ?*

— J'ignore de quoi vous parlez.

— D'une affaire d'importance nationale, Mr Perry.

— Je suis un réformateur, monsieur Poirot. Je veux nettoyer les bas-fonds de la politique. Je suis opposé à la corruption. Connaissez-vous l'état dans lequel sont les affaires politiques de ce pays ? Celui des écuries d'Augias, ni plus, ni moins.

— Tiens ! Vous aussi...

— Et ce qu'il faut pour nettoyer ces écuries, c'est le grand flot purificateur de l'opinion publique.

Hercule Poirot se leva.

— J'applaudis à vos nobles sentiments, dit-il. Mais il est dommage que vous n'ayez pas besoin d'argent.

— Hé ! attendez une seconde, dit l'autre précipitamment. Je n'ai pas dit cela...

Mais Hercule Poirot était déjà sorti.

Il n'aimait pas les maîtres chanteurs et ce fut son excuse pour les événements qui suivirent.

Everitt Dashwood, le plus joyeux drille de l'équipe rédactionnelle de *la Branche* gratifia Hercule Poirot d'une bourrade affectueuse entre les omoplates.

— Il y a boue et boue, mon vieux. La mienne, c'est de la boue propre... c'est tout.

— Je n'insinuais pas que vous étiez à égalité avec Percy Perry.

— Cet immonde salopard ! C'est la honte de notre profession. Si nous le pouvions, nous le coulerions tous.

— Il se trouve qu'en ce moment je suis chargé d'éviter l'étalage au grand jour d'un scandale politique.

— Autant nettoyer les écuries d'Augias, hein ? C'est un boulot trop coriace pour vous, mon vieux ! Un seul moyen : détourner le cours de la Tamise et la faire passer à travers le palais du Parlement.

— Vous êtes cynique.

— Je connais la vie, c'est tout.

— J'ai l'impression que vous êtes l'homme qu'il me faut. Vous êtes téméraire, vous comprenez la plaisanterie et vous aimez ce qui sort de l'ordinaire.

— Et ce flot d'aménités pour en venir où ?

— Il y a un complot sensationnel à démasquer. Ce serait un filon pour votre journal.

— Très bien !

— Il s'agit d'un complot destiné à ruiner la réputation d'une femme.

— De mieux en mieux. Les histoires passionnelles marchent toujours.

— Alors asseyez-vous et écoutez.

Les gens s'en donnaient à cœur joie :

— ... Non, j'en crois pas un mot. John Hammett a toujours été un honnête homme. Il n'était pas comme certains politiciens dont le seul nom m'écorcherait la bouche...

— ... C'est toujours ce qu'on dit de toutes les canailles avant qu'on les démasque...

— ... Dans l'affaire des pétroles de Palestine, il se serait mis des millions plein la poche. Une véritable escroquerie...

— ... Ce n'est pas Everhard qui serait capable d'une chose pareille. Il est de la vieille école, lui...

— ... J'peux pas croire que John Hammett soit un salaud. Il y a pas un mot de vrai dans ce que disent les journaux...

— ... La femme de Ferrier, c'est sa fille à Hammett. Et vous avez vu ce que l'on dit sur *elle* ?...

Un exemplaire des *Rayons X* passa de main en main :

La femme de César ? Nous avons entendu dire qu'une dame très haut placée dans les milieux politiques a été vue en compagnie de son gigolo dans un endroit plus qu'équivoque. Oh ! Dagmar, Dagmar, comment pouvez-vous si mal vous tenir ?

— ... Un gigolo ? Encore un de ces cochons de métèques ?... Ce n'est pas le genre de Mrs Ferrier, ça !...

— Oh ! avec les femmes, on sait jamais. Il y en a pas une pour racheter l'autre.

Les gens en faisaient des gorges chaudes :

— ... Mais oui, mon chou, je suis persuadé que c'est *rigoureusement* exact. Mimi le tient de Paul, auquel Andy l'a raconté. Elle est *totalement* dépravée...

— ... Elle qui avait l'air si godiche, si convenable, à ses ventes de charité...

— ... Un simple camouflage, mon chou. Il paraît qu'elle est *intenable*. Il n'y a qu'à lire *les Rayons X*. C'est inouï. A se demander d'où ils tirent tous ces renseignements...

— ... Et que dis-tu du scandale politique ? Alors, son père s'est approprié les fonds du Parti ?...

Les gens chuchotaient et supputaient :

— ... Je vous assure, Mrs Rogers, j'aime autant ne pas penser à tout ça. J'ai toujours trouvé que Mrs Ferrier était une femme tellement charmante...

— Vous croyez que ces horreurs sont *vraies*, vous ?...

— ... Je vous le répète, j'aime autant ne pas y penser. Dire qu'elle a inauguré une vente de charité à Pelchester, pas plus tard qu'en juin dernier. J'étais aussi près d'elle que je le suis de vous. Et elle avait un sourire si aimable...

— ... Oui, bien sûr, mais comme je le dis toujours : il n'y a pas de fumée sans feu...

— ... Evidemment. Mon Dieu, à qui se fier !...

Edward Ferrier, le visage blême, les traits tirés, se tourna vers Poirot :

— Ces attaques contre ma femme ! C'est scandaleux... révoltant ! J'intente un procès contre cet immonde torchon !

— Je ne vous le conseille pas.

— Mais il faut faire cesser ces ignobles mensonges !

— Etes-vous sûr qu'il s'agisse de *mensonges* ? Que dit votre femme ?

Un instant, Ferrier parut décontenancé.

— Elle estime que le mieux est de ne pas relever... Mais je ne peux quand même pas... tout le monde parle !

— Oui, justement, tout le monde parle.

Et puis la presse annonça : *Victime d'une légère dépression nerveuse, Mrs Ferrier est partie se reposer en Ecosse.*

Conjectures, rumeurs, affirmations : Mrs Ferrier *n'était pas* en Ecosse, n'y avait jamais été.

Détails scandaleux :

— ... Je te dis qu'Andy l'a vue, de ses yeux vue. Oui, dans cette horrible boîte, tu sais bien ! Elle était ivre, ou droguée, et en compagnie d'une espèce de gigolo argentin... Ramon... tu te rends compte !

Et les bavardages de redoubler :

Mrs Ferrier s'était fait enlever par un danseur

argentin ; on l'avait vue à Paris, droguée. Elle faisait usage de stupéfiants depuis des années ; elle buvait comme un trou.

Peu à peu la vertueuse Angleterre, incrédule tout d'abord, se scandalisait, commençait à croire que tous ces bruits devaient bien être fondés. *Ça*, la femme d'un Premier ministre ? Oh !

Puis arrivèrent les photos...

Mrs Ferrier, photographiée à Paris dans une boîte de nuit, les bras passés autour du cou d'un jeune homme aux cheveux très bruns, au teint olivâtre, à l'œil salace... puis à peine vêtue, sur une place, la tête sur l'épaule du même homme.

Mrs Ferrier s'offre du bon temps, disait la légende. Quarante-huit heures plus tard, *les Rayons X* étaient attaqués pour diffamation.

Digne, animé d'une vertueuse indignation, sir Mortimer Inglewood, avocat de la Couronne, représentait le plaignant. Mrs Ferrier, dit-il, était la victime d'un infâme complot que l'on ne pouvait comparer qu'à la si fameuse Affaire du collier de la reine, ourdie pour discréditer Marie-Antoinette aux yeux du peuple. Ici, on avait voulu traîner dans la fange une noble dame, parée de toutes les vertus et dont la situation, dans le pays, était celle de la femme de César. Sir Mortimer évoqua avec un mépris cinglant l'action de certains partis extrémistes qui n'avaient pour but que la destruction de la démocratie. Puis il fit comparaître ses témoins.

Le premier fut l'évêque de Northumberland, Mr Honderson, l'une des plus belles figures de l'Eglise d'Angleterre. D'une totale intégrité, tolérant, orateur exceptionnel, tous ceux qui le connaissaient l'aimaient et le révéraient.

Il jura qu'aux dates indiquées par les journaux, Mrs Ferrier se trouvait à l'évêché avec sa femme et lui-même. Epuisée par les innombrables œuvres de charité auxquelles elle s'était consacrée, on lui avait ordonné le repos absolu. On avait tenu secret le lieu de sa retraite pour éviter toute tracasserie de la presse à sensation.

Un médecin éminent succéda à l'évêque et déclara avoir examiné Mrs Ferrier et lui avoir ordonné le repos et l'absence totale de souci.

Un praticien local déclara avoir donné ses soins à Mrs Ferrier pendant son séjour en Northumberland.

Puis on appela le témoin suivant : une certaine Thelma Andersen.

A sa vue, un frémissement parcourut toute l'assistance. Elle ressemblait de façon frappante à Mrs Ferrier.

— Vous vous appelez Thelma Andersen ?

— Oui.

— Vous êtes de nationalité danoise ?

— Oui, je suis née à Copenhague.

— Et vous travaillez dans un café, ici ?

— Oui.

— Dites-nous, je vous prie, ce qui vous est arrivé le 18 mars dernier ?

— Il y a un monsieur, un Anglais, qui est venu me trouver. Il m'a dit qu'il travaillait pour un journal : *les Rayons X*.

— Vous êtes sûre qu'il mentionna ce nom : *les Rayons X* ?

— Oh ! pour ça, oui ! parce que j'ai d'abord cru que c'était un journal médical. Mais il paraît que non. Puis ce monsieur m'a dit qu'une actrice anglaise cherchait une doublure et que j'étais juste son type. Je ne vais pas beaucoup au cinéma et je ne me rappelle pas le nom qu'il m'a donné. Mais il m'a dit qu'elle était célèbre et que, étant malade, il lui fallait quelqu'un qui puisse paraître en public à sa place et qu'elle paierait cher pour ça.

— Quelle somme ce monsieur vous a-t-il offerte ?

— Cinq cents livres. Au début, j'ai cru que c'était une blague... mais il m'a versé la moitié de l'argent aussitôt. Alors j'ai donné mon congé là où je travaillais.

Et le témoin poursuivit son récit. On l'avait emmenée à Paris où on lui avait fourni de jolies toilettes et un « cavalier ». Un Argentin très gentil, très comme il faut, très poli.

Le témoin, c'était évident, avait trouvé l'aventure fort agréable. Ramenée à Londres, son cavalier à peau olivâtre l'avait accompagnée dans d'autres boîtes de nuit où on l'avait photographiée comme à Paris. Certains des endroits qu'on lui avait fait fréquenter n'étaient pas, elle l'admettait, très respectables... pas plus que les poses qu'on lui avait fait prendre sur les photos. Mais on l'avait prévenue : tout cela était nécessaire à la publicité et le señor Ramon ne lui avait jamais manqué de respect.

Non, jamais on n'avait mentionné devant elle le nom de Mrs Ferrier et elle n'avait pas soupçonné un instant qu'il s'agissait de se faire passer pour elle. Elle avait agi sans aucune arrière-pensée.

On lui montra des photographies qu'elle reconnut pour être celles que l'on avait prises d'elle à Paris et sur la Riviera.

La déposition de Thelma Andersen avait tous les accents de la franchise la plus absolue. C'était une femme charmante mais sans doute assez peu futée. Elle était visiblement désolée, à présent qu'elle comprenait quel rôle on lui avait fait jouer.

La défense ne convainquit personne. Elle jura n'avoir jamais été en contact avec le témoin. Le bureau de Londres, en recevant les photos, les avait crues authentiques.

La péroraison de sir Mortimer souleva l'enthousiasme général. Tout, dit-il, n'était qu'un lâche complot tramé pour discréditer le Premier ministre et sa femme. La sympathie de tous irait à la malheureuse Mrs Ferrier.

Le verdict ne surprit personne et remporta tous les suffrages. Quant aux dommages-intérêts obtenus, ils furent énormes.

La foule salua d'une ovation le départ de Mrs Ferrier, de son mari et de son père.

Edward Ferrier serra la main de Poirot avec chaleur.

— Monsieur Poirot, je vous remercie infiniment. En tout cas, cet infâme torchon de *Rayons X* est fini, balayé. Ça leur apprendra ! Avoir manigancé une ignominie pareille ! Attaquer Dagmar, la créature la plus douce qui soit ! Dieu merci, vous avez réussi à les démasquer... Mais qui diable vous a donné l'idée qu'ils pouvaient employer une doublure ?

— Ce n'était pas neuf. Cela a été fait avec succès par Jeanne de La Motte quand elle s'est fait passer pour Marie-Antoinette.

— Il faudra que je relise *le Collier de la reine*. Mais comment avez-vous fait pour trouver la femme dont ils se servaient ?

— Je l'ai cherchée au Danemark et je l'ai trouvée ici.

— Mais pourquoi au Danemark ?

— Parce que la grand-mère de Mrs Ferrier était danoise et qu'elle-même a un type danois très marqué. Et pour d'autres raisons aussi...

— Effectivement, la ressemblance est frappante. Quelle idée machiavélique ! Je me demande comment elle est venue à ce petit saligaud.

Poirot sourit.

— Mais elle ne lui est pas venue.

Du doigt, il se frappa la poitrine.

— ... C'est moi qui y ai pensé.

Edward Ferrier le regarda, stupéfait.

— Je ne comprends pas. Que voulez-vous dire ?

— Il faut nous reporter à une histoire bien plus ancienne que celle du collier de la reine, à celle du nettoyage des écuries d'Augias. Hercule se servit d'un fleuve, d'une force de la nature. Modernisons le tout. Donnons aux gens une bonne histoire scandaleuse avec cette autre force de la nature qu'est la femme. Cela fera beaucoup plus de remous qu'une chicanerie politique. Tout comme Hercule, j'ai commencé par tremper mes mains dans la boue pour édifier une digue destinée à détourner le cours du fleuve. Un ami journaliste m'a aidé. Il a parcouru le Danemark à la recherche d'une jeune femme susceptible de jouer le rôle désiré. Il l'a approchée, a mentionné, par hasard, *les Rayonx X*, dans l'espoir qu'elle s'en souviendrait. Elle l'a fait... Et qu'arriva-t-il ? Un énorme soulèvement de boue qui éclabousse la femme de César. Infiniment plus intéressant pour tout le monde que n'importe quel scandale politique. Le dénouement ? La vertu vengée. La femme pure innocentée. Un mascaret de beaux sentiments balaye les écuries d'Augias. Tous les journaux du pays peuvent publier le récit des malversations de John Hammett à présent, personne n'en croira un mot.

Edward Ferrier, les mains palpitantes, serrait les poings.

— Ma femme ! Vous avez osé vous servir de ma femme...

Fort heureusement sans doute pour Hercule Poirot qui jamais encore, au cours de sa carrière, n'avait autant risqué de se faire administrer une correction, Mrs Ferrier pénétra dans la pièce.

— Eh bien, dit-elle, notre petite mise en scène a on ne peut mieux fonctionné.

— Dagmar... tu... tu étais au courant ?

— Mais bien sûr, mon ami.

Et elle sourit, de ce sourire simple, un peu mater-
nel, de l'épouse exemplaire.

— Et tu ne m'en avais pas soufflé mot !

— Mais, Edward, jamais tu n'aurais laissé M. Poirot agir.

— Certes, non !

— C'est bien ce que nous pensions.

— Nous ?

— M. Poirot et moi... Je me suis délicieusement
reposée chez ce cher évêque. Je me sens pleine
d'énergie, à présent. On désire me voir baptiser le
nouveau cuirassé, à Liverpool... ce sera une bonne
chose que je m'y montre, je crois.

LE TAUREAU DE L'ILE DE CRÈTE
(The Creatan bull)

Hercule Poirot regarda avec attention sa visiteuse.
Pâle, elle avait un menton volontaire, des yeux plus
gris que bleus, des cheveux noirs avec un reflet
bleuté.

Il remarqua le costume de tweed bien coupé, mais
aussi beaucoup porté, le sac déformé et l'inconscient
orgueil de la jeune fille, perceptible malgré son évi-
dente nervosité.

« Oui, songea-t-il, d'excellente famille, mais pas
d'argent ! Il faut réellement qu'il se soit passé quelque
chose d'extraordinaire pour qu'elle soit venue me
trouver. »

— Je... je ne sais pas si vous êtes en mesure de
m'aider, monsieur, dit Diana Maberly d'une voix qui
tremblait un peu. La situation est... extraordinaire.

— Contez-moi donc cela.

— Je suis venue vous voir car je ne sais pas quoi

faire ! Je me demande même s'il y a quelque chose à faire !

— Et si vous me laissiez juge d'en décider ?

La jeune fille rougit.

— L'homme avec lequel je suis fiancée depuis plus d'un an a rompu nos fiançailles, dit-elle très vite. (Elle leva sur le détective un regard de défi.) ... Vous devez me croire totalement déséquilibrée, n'est-ce pas ?

Hercule Poirot secoua lentement la tête.

— Au contraire, mademoiselle. Je ne doute pas un instant que vous soyez extrêmement intelligente. Je n'ai pas pour métier de réconcilier les amoureux qui se sont querellés et vous le savez, j'en suis certain. La rupture de vos fiançailles a donc un caractère très particulier. Est-ce bien cela ?

La jeune fille fit un signe de tête affirmatif.

— Hugh pense qu'il devient fou, expliqua-t-elle d'une voix claire, précise. Et il estime que les fous n'ont pas le droit de se marier.

Hercule Poirot haussa légèrement les sourcils.

— Et vous ne partagez pas cet avis ?

— Je ne sais pas... qu'est-ce qu'*être* fou, après tout ? Chacun l'est un peu.

— On le prétend, dit Poirot sans se compromettre.

— On peut vous enfermer quand vous commencez à vous prendre pour un œuf poché... ou un cheval, ou...

— Et votre fiancé n'a pas encore atteint ce stade ?

— Hugh est l'être le plus sain que je connaisse. Sûr... équilibré...

— Alors, pourquoi croit-il devenir fou ?... Y aurait-il eu des cas d'aliénation mentale dans sa famille ?

Diana acquiesça à contrecœur.

— Son grand-père, je crois, et peut-être l'une de ses grand-tantes n'étaient pas sains d'esprit. Mais *chaque* famille compte un personnage un peu bizarre ! Trop, ou pas assez intelligent, ou...

Ses yeux appelaient au secours.

— Je suis désolé pour vous, mademoiselle, dit Poirot, sincère.

Elle se redressa brusquement.

— Mais je ne veux pas que vous soyez désolé ! Je veux que vous fassiez quelque chose !

— Quoi donc ?

— Je l'ignore... *mais il y a dans tout cela quelque chose d'incompréhensible.*

— Voulez-vous, s'il vous plaît, mademoiselle, tout me dire sur votre fiancé ?

Diana répondit très vite.

— Il s'appelle Hugh Chandler. Il a vingt-quatre ans. Son père est l'amiral Chandler. Ils habitent Lyde Manor, qui appartient à la famille Chandler depuis Elisabeth Ire. Hugh est fils unique. Pour suivre la tradition, Hugh est entré dans la marine. Son père n'aurait pas admis qu'il choisît une autre carrière et... cependant, c'est *son père* qui a insisté pour qu'il donne sa démission !

— Quand cela ?

— Il y a à peu près un an. Tout à fait brusquement.

— Hugh Chandler était-il heureux d'être marin ?

— Absolument.

— Y a-t-il eu un scandale quelconque ?

— Du fait d'Hugh ? Aucun. Il réussissait à merveille. Il... il n'a pas compris l'exigence de son père.

— Quelle raison l'amiral a-t-il donnée ?

— Aucune. Bien sûr... il a dit qu'Hugh devait apprendre à gérer le domaine... mais ce n'était qu'un prétexte. Même George Frobisher s'en est rendu compte.

— Qui est George Frobisher ?

— Le colonel Frobisher. Le plus vieil ami de l'amiral Chandler et le parrain de Hugh. Il consacre la majeure partie de son temps au manoir.

— Et qu'a pensé le colonel Frobischer de la décision de son ami concernant son fils ?

— Il a été stupéfait. Il n'a pas compris. Personne n'a compris.

— Hugh Chandler non plus ?

Diana ne répondit pas aussitôt. Poirot attendit une seconde et poursuivit.

— ... A l'époque peut-être a-t-il été, lui aussi, étonné. Mais, maintenant, n'a-t-il rien dit ?

— Il y a une semaine environ... il a déclaré que son père avait raison... que c'était la seule chose à faire...

— Avez-vous demandé pourquoi ?

— Bien sûr. Mais il n'a pas voulu me répondre.

Hercule Poirot réfléchit un peu.

— Y a-t-il eu, dans votre région, des événements surprenants au cours de ces derniers mois ? Quelque chose qui ait provoqué la surprise, fait parler les gens ?

— Je ne comprends pas ce que vous voulez dire ! répliqua-t-elle vivement.

— Vous feriez beaucoup mieux de me répondre, dit Poirot avec douceur mais fermeté.

— Il n'y a rien eu... pas ce que vous pensez !

— Quoi alors ?

— Oh ! vous êtes odieux ! Il se passe toujours des choses bizarres à la campagne... ce sont des vengeances... ou l'idiot du village.

— *Qu'est-il arrivé ?*

— On a fait beaucoup de remue-ménage à cause de quelques moutons, dit-elle à contrecœur. On les avait égorgés. Oh ! c'était horrible ! Mais ils appartenaient tous au même fermier, qui est un homme très dur. La police a pensé qu'il s'agissait de l'assouvissement d'une vieille rancune.

— Mais on n'a pas découvert le coupable ?

— Non... mais si vous pensez..., ajouta-t-elle avec feu.

Poirot leva une main.

— Vous ne savez pas du tout ce que je pense. Dites-moi, votre fiancé a-t-il consulté un médecin ?

— Non.

— Ne serait-ce pas le plus simple ?

— Il ne voudra pas. Il... il déteste les médecins.

— Et son père ?

— Pour lui, ce ne sont que des charlatans.

— Comment est l'amiral ? En bonne santé, heureux ?

— Il a terriblement vieilli de... depuis...

— Depuis l'année dernière ?

— Oui. Ce n'est plus que l'ombre de lui-même.

— A-t-il approuvé vos fiançailles ?

— Oh oui ! La propriété de mes parents est voisine de la leur. Cela fait trois générations que nous habitons là. Il a été ravi quand nous nous sommes déclarés, Hugh et moi.

— Et maintenant ? Qu'a-t-il dit de votre rupture ?

— Je l'ai rencontré hier matin, répondit la jeune fille d'une voix qui tremblait un peu. Il était livide. Il m'a pris une main entre les siennes. « *C'est dur pour vous, mon petit*, m'a-t-il dit, *mais Hugh a raison... il fait la seule chose à faire.* »

— Et alors, vous êtes venue me voir ?

— Oui. Pouvez-vous faire quelque chose ?

— Je n'en sais rien. Mais, au moins, puis-je aller sur place me rendre compte par moi-même.

Hugh Chandler fit sur Hercule Poirot une impression immédiate et très forte. Grand, bien proportionné, il avait une carrure d'athlète et une abondante crinière fauve. Il respirait la force et la virilité.

A leur arrivée chez elle, Diana avait aussitôt téléphoné à l'amiral Chandler qui les avait priés de venir prendre le thé à Lyde Manor. Ils avaient trouvé trois hommes qui les attendaient sur la longue terrasse. C'était l'amiral, blanc de cheveux, paraissant beaucoup plus vieux que son âge, les épaules voûtées comme sous la pression d'une charge trop lourde, les yeux sombres et tristes. Son ami, le colonel Frobisher, offrait avec lui un contraste frappant. Petit, sec, des cheveux roux grisonnants aux tempes, il était perpétuellement en mouvement et rappelait un peu un terrier. Il avait l'habitude de froncer les sourcils sur des yeux extrêmement perçants et, la tête penchée en avant, d'étudier son interlocuteur bien en face. Le troisième homme était Hugh.

— Beau gosse, hein ? dit le colonel à voix contenue à Poirot dont il avait remarqué l'intérêt pour le jeune homme.

Hercule Poirot fit, de la tête, un signe affirmatif. Il était le voisin le plus proche du colonel. Les trois autres, à l'autre extrémité de la table à thé, bavardaient avec une animation un peu artificielle.

— Oui, il est splendide, répondit le détective. Un jeune taureau... le taureau dédié à Poséidon... magnifique exemple de saine virilité.

— Il a l'air en bonne forme, n'est-ce pas ?

Frobisher soupira puis, lançant un regard en coin à son voisin, il lui dit à brûle-pourpoint :

— Au fait, je sais qui vous êtes.

— Mais ce n'est pas un secret ! répondit Poirot avec un geste royal de la main qui semblait dire qu'il ne voyageait pas incognito.

— La petite vous a-t-elle mis au courant... pour le truc ?

— Le truc ?

— Au sujet du jeune Hugh... oui, je vois que vous savez tout. Mais je me demande bien pourquoi elle a été vous chercher... je n'aurais pas pensé que ce genre de choses soit de votre domaine... entendez-moi, c'est plutôt du ressort de la médecine.

— Tout est de mon domaine... vous aurez des surprises.

— Je ne vois pas très bien ce qu'elle *attend* au juste de vous.

— Miss Maberly est une combattante.

— Ah ! ça, oui, approuva le colonel avec chaleur. C'est une brave gosse. Elle n'abandonnera pas. Cependant, il y a des choses qu'on ne *peut* pas combattre...

Il parut soudain vieux et fatigué.

Poirot baissa encore le ton.

— J'ai cru comprendre qu'il y avait eu des cas... de folie dans la famille ?

— Oui, c'est arrivé, murmura Frobisher. Cela saute une génération ou deux. Le dernier cas a été celui du grand-père de Hugh.

Poirot lança un coup d'œil à l'autre bout de la table. Diana riait, taquinait Hugh. Un observateur étranger aurait pensé qu'aucun d'entre eux n'avait le moindre souci.

— De quelle forme de folie s'agit-il ? demanda Poirot, très bas.

— Le vieux, sur la fin, était devenu très violent. Jusqu'à trente ans, il a été parfaitement normal. Puis il a manifesté quelques bizarreries. On a mis du temps à les remarquer. Et les gens ont commencé à bavarder. On a étouffé quelques affaires. Enfin... il est devenu fou à lier, le pauvre diable. Folie homicide ! Il fallut le faire interner. (Il s'interrompit un instant.) ... Il a vécu très vieux, je crois... C'est ce qui fait peur à Hugh, bien sûr. C'est pourquoi il ne veut pas voir de médecin. Il a la frousse d'être enfermé et de le rester pendant des années. Je ne le lui reproche pas, je ferais comme lui.

— Et l'amiral, comment prend-il cela ?

— Cela le démolit complètement.

— Il est très attaché à son fils ?

— Il ne vit que pour lui. Vous comprenez, sa femme s'est noyée accidentellement quand le gamin avait dix ans. Depuis, il ne pense qu'à lui.

— Il aimait beaucoup sa femme ?

— Il l'adorait. Tout le monde l'adorait. C'était... c'était l'une des femmes les plus ravissantes que j'aie connues. Souhaitez-vous voir son portrait ? demanda-t-il après une pause.

— Oui, j'en serais ravi.

Frobisher repoussa sa chaise.

— Je vais montrer quelques objets à M. Poirot, Charles, dit-il tout haut. C'est un connaisseur.

L'amiral leva une main, dans un geste vague. Poirot suivit Frobisher. Un instant, le visage de Diana laissa tomber son masque de gaieté et on y lut une question angoissée. Hugh aussi leva la tête et regarda avec insistance le petit homme à la grosse moustache noire.

L'intérieur de la maison semblait si sombre après la clarté de l'extérieur que Poirot eut tout d'abord de la peine à distinguer les objets les uns des autres. Puis il remarqua qu'ils étaient fort nombreux et très beaux.

Le colonel Frobisher le mena à la galerie des tableaux. Les portraits de tous les Chandler morts ou disparus étaient accrochés aux murs lambrissés. Visages gais ou sévères, hommes en habit de cour ou en uniforme d'officier de marine. Femmes vêtues de satin, parées de perles.

Puis Frobisher s'arrêta sous un portrait, au bout de la galerie.

— Peint par Orpen, dit-il d'un ton bourru.

L'artiste avait représenté une grande femme retenant d'une main un chien de chasse. Elle avait les cheveux auburn et une expression de radieuse vitalité.

— Le garçon est son portrait craché, n'est-ce pas ? remarqua Frobisher.

— Dans une certaine mesure, oui.

— Evidemment, il n'a pas hérité de sa délicatesse, sa féminité. C'est une édition masculine... mais pour l'essentiel... (Il s'interrompit.) ... Quand on pense qu'il a pris des Chandler la seule chose dont il se serait bien passé ! ajouta-t-il après quelques secondes.

Hercule Poirot détourna ses yeux du portrait pour regarder son compagnon. George Frobisher contemplait toujours la ravissante créature qui lui souriait.

Un souffle de mélancolie passa sur les deux hommes.

— Vous la connaissiez bien ? demanda doucement le détective.

— Nous avons grandi ensemble. Je suis parti pour les Indes quand elle avait seize ans... Quand je suis revenu... elle avait épousé Charles Chandler.

— Vous le connaissiez bien, lui aussi ?

— Charles est l'un de mes plus vieux amis... le meilleur... il l'a toujours été.

— Les avez-vous beaucoup vus... après leur mariage ?

— Je passais la plupart de mes permissions ici. Charles et Caroline gardaient toujours ma chambre prête...

Il carra soudain les épaules, avança le menton d'un mouvement batailleur.

— C'est pourquoi je suis ici, en ce moment... pour le cas où l'on aurait besoin de moi.

— Et que pensez-vous de tout cela ? demanda Poirot.

Frobisher fronça les sourcils.

— Pour être franc, je ne vois pas ce que vous venez faire dans cette affaire, répliqua-t-il. Et je ne comprends pas pourquoi Diana vous a pris au lasso pour vous amener ici.

— Vous savez que les fiançailles de Diana Maberly et de Hugh Chandler ont été rompues ?

— Oui.

— Et vous en connaissez la raison ?

— Cela ne m'intéresse pas, répliqua Frobisher, bourru. Les jeunes gens se débrouillent comme ils l'entendent. Ça ne me regarde pas.

— Hugh Chandler a dit à Diana qu'il n'avait pas le droit de l'épouser car il perdait l'esprit.

Le front de Frobisher s'emperla de sueur.

— Pourquoi parler de ces satanées histoires ? Que croyez-vous être en mesure de faire ? Hugh a bien agi, le pauvre gosse ! Ce n'est pas sa faute... l'hérédité... Il a fait ce qu'il fallait faire !

— Si je pouvais en être convaincu...

— Vous pouvez me croire.

— Mais vous ne m'avez rien dit.

— Je ne veux pas en parler.

— Pourquoi l'amiral Chandler a-t-il contraint son fils à quitter la marine ?

— Parce qu'il n'y avait pas d'autre solution.

— Pourquoi ?... Cela a-t-il un rapport avec l'égorgement de certains moutons ? demanda Poirot d'une voix douce.

— Ah ! vous avez entendu parler de ça ! dit l'autre, irrité.

— Diana m'a raconté.

— Elle aurait mieux fait de se taire !

— D'après elle, cela n'a rien de concluant.

— Qu'en sait-elle ? ... Oh ! bien, puisqu'il le faut ! fit Frobisher à contrecœur. Cette nuit-là, Charles Chandler a entendu du bruit. Il a cru que quelqu'un s'était introduit dans la maison. Il est sorti dans le corridor pour en avoir le cœur net. Il y avait de la lumière dans la chambre du gamin. Hugh dormait à poings fermés, tout habillé... il y avait du sang sur ses vêtements... du sang plein le lavabo... Son père n'a

32

pas pu le réveiller. Le lendemain, il a entendu parler de moutons qu'on avait égorgés. Il a interrogé Hugh. Il ne se souvenait de rien... même pas d'être sorti... et ses chaussures étaient crottées jusqu'aux lacets. Il n'a pu donner aucune explication... il ne *savait* rien ! Charles est venu me trouver, m'a tout raconté, m'a demandé conseil... Puis ça a recommencé trois nuits plus tard. Après ça... eh bien... Charles a voulu avoir son fils ici, sous ses yeux. On ne pouvait pas risquer un scandale dans la marine...

— Et, depuis ? demanda Poirot.

— Je ne répondrai plus à aucune question ! Hugh sait mieux que n'importe qui ce qu'il a à faire !

Hercule Poirot ne jugea pas nécessaire de répliquer que *lui* seul savait ce qu'il était bon de faire la plupart du temps.

Dans le hall, ils rencontrèrent l'amiral Chandler qui venait d'entrer dans la maison.

— Oh ! vous êtes là tous les deux, dit-il d'une voix basse et sourde. Monsieur Poirot, j'aimerais vous dire un mot. Venez dans mon bureau.

Frobisher s'éloigna et Poirot suivit l'amiral avec l'impression d'avoir reçu l'ordre de monter sur le gaillard d'arrière pour faire son rapport.

Chandler indiqua un fauteuil au détective et s'assit.

Alors que Poirot avait été impressionné par l'intense agitation, la nervosité et l'irritation de Frobisher, tous signes de grande tension mentale, Chandler lui fit l'effet d'être abîmé dans le désespoir le plus noir...

L'amiral poussa un profond soupir.

— Je ne cesse de regretter que Diana vous ait mêlé à tout cela... Pauvre enfant, je sais combien c'est dur pour elle. Mais... bref, vous comprendrez, monsieur Poirot, que, dans notre tragédie purement privée, nous ne voulons pas d'étrangers.

— Je comprends parfaitement vos sentiments.

— Diana, pauvre petite... ne veut pas croire... Moi non plus, au début. Sans doute ne le croirais-je pas encore si je ne savais pas...

— Quoi ?

— Que cette tare est dans notre sang.

— Et, cependant, vous aviez donné votre accord pour les fiançailles ?

L'amiral rougit.

— Vous voulez dire que j'aurais dû m'y opposer ? Mais, à l'époque, je ne pensais pas à cela. Hugh ressemble à sa mère... rien en lui ne rappelle les Chandler. J'avais espéré qu'il tenait *tout* d'elle. Jusqu'à présent, il n'avait donné aucun signe d'anomalie.

— Vous n'avez pas consulté de médecin ?

— Non, grogna l'amiral, et je ne le ferai pas ! Mon fils est en sécurité ici, avec moi. On ne l'enfermera pas entre quatre murs comme une bête féroce...

— Il est en sécurité. Mais *les autres* le sont-ils ?

— Qu'entendez-vous par là ?

Poirot ne répondit pas mais regarda l'amiral bien en face.

— ... Déformation professionnelle ! Vous cherchez un criminel. Mon fils n'en est pas un, monsieur Poirot !

— Pas encore.

— Qu'est-ce que veut dire ce « pas encore » ?

— Les choses peuvent empirer... Ces moutons...

— Qui vous a parlé de ça ?

— Diana Maberly. Et aussi votre ami, le colonel Frobisher.

— George aurait mieux fait de la boucler.

— C'est un très vieil ami à vous, n'est-ce pas ?

— Mon meilleur ami, répondit l'amiral, bourru.

— Et c'était aussi un ami de votre femme ?

Chandler sourit.

34

— Oui, George était amoureux de Caroline, je crois. Quand elle était très jeune. Je parierais que c'est pour cela qu'il ne s'est jamais marié. J'ai été l'heureux gagnant... mais je l'ai gagnée pour la perdre.

Il soupira et ses épaules s'affaissèrent.

— Le colonel Frobisher était avec vous quand... votre femme s'est noyée ?

— Oui, il nous avait accompagnés en Cornouailles. Mais j'étais sorti seul avec ma femme quand le drame est arrivé. Je n'ai jamais compris comment la barque a pu se retourner... La mer était un peu forte... Je l'ai soutenue aussi longtemps que j'en ai eu la force...

Sa voix se brisa.

— Son corps a été rejeté sur la côte deux jours plus tard. Dieu merci, nous n'avions pas emmené le petit Hugh ! Enfin, c'est du moins l'idée qui m'est venue à l'époque. En fait, peut-être aurait-il mieux valu pour lui, pauvre diable... Tout aurait été fini... Nous sommes les derniers des Chandler, monsieur Poirot. Il n'y en aura plus à Lyde, lorsque *nous* serons partis. Quand Hugh s'est fiancé, j'ai espéré... enfin, inutile de parler de cela. Dieu merci, ils ne sont pas mariés. C'est tout ce que je peux dire !

Hercule Poirot était dans la roseraie avec Hugh Chandler. Diana Maberly venait de les quitter.

Le jeune homme tourna vers son compagnon son beau visage torturé.

— Il faut lui faire comprendre, monsieur Poirot. Diana est une lutteuse. Elle ne se rendra pas... Elle continuera de croire que je suis sain d'esprit.

— Alors que vous-même êtes absolument certain d'être... excusez-moi... fou ?

Le jeune homme tressaillit.

— Je n'ai pas encore totalement perdu l'esprit... mais les choses ne s'arrangent pas. Diana ne le sait pas. Elle ne me voit que lorsque... je suis en bon état.

— Et qu'arrive-t-il, lorsque vous n'êtes pas en bon état ?

— D'abord, *je rêve*. Et quand je rêve, *je suis fou*. La nuit dernière, par exemple, je n'étais plus un homme. J'ai commencé par être un taureau... un taureau furieux qui courait en plein soleil avec un goût de sang et de poussière dans la bouche. Et puis je suis devenu un chien... un grand chien enragé... Les enfants fuyaient à ma vue... Et des gens me tiraient dessus... Quelqu'un m'a donné un grand bol d'eau et *je n'ai pas pu la boire*... Je me suis réveillé. J'avais la bouche horriblement desséchée et je mourais de soif. Je me suis levé *mais je n'ai pas pu boire*... j'étais dans l'incapacité de déglutir... Oh ! mon Dieu !...

Hugh Chandler serrait ses genoux à deux mains. Le visage penché en avant, les yeux à demi fermés, il semblait regarder quelque chose d'invisible s'approcher de lui.

— ... Et il n'y a pas que les rêves. Je vois d'horribles spectres alors que je suis parfaitement éveillé. Parfois, je vole et les démons me tiennent compagnie !

— Tut ! Tut ! fit Hercule Poirot.

— Oh ! mais c'est la stricte vérité. J'ai ça dans le sang. C'est un héritage de famille. Je ne puis y échapper. Dieu merci, je m'en suis rendu compte à temps ! Avant d'avoir épousé Diana. Imaginez que nous ayons eu un enfant et que nous lui ayons passé cela ?

Il posa une main sur le bras de Poirot.

— *Il faut que vous lui fassiez comprendre*. Dites-le-lui. Elle doit oublier. Elle trouvera quelqu'un d'autre. Tenez : Steve Graham, il est fou d'elle et c'est un très chic type. Elle sera heureuse avec lui... et en sécurité. Je veux qu'elle soit heureuse. Evidemment, Graham ne roule pas sur l'or et les parents de Diana non plus, mais quand je ne serai plus là, ils seront tirés d'affaire...

— Pourquoi seront-ils « tirés d'affaire » quand vous ne serez plus là ? l'interrompit le détective.

Hugh Chandler lui adressa un sourire très doux.

— Ma mère était riche. J'ai hérité d'elle. J'ai tout laissé à Diana.

— Ah !... Mais vous vivrez peut-être très vieux, Mr Chandler.

Le jeune homme secoua la tête.

— Non, certainement pas, dit-il brusquement. (Puis il tressaillit violemment.) Mon Dieu ! Regardez... là, à côté de vous, un squelette,... il me fait signe.

Il regardait en plein soleil, les pupilles dilatées. Puis il se tassa sur lui-même comme s'il allait s'écrouler.

— Vous... vous n'avez rien vu ? demanda-t-il à Poirot d'un ton presque enfantin.

Lentement Poirot fit un signe négatif.

— Cela encore... cela m'est un peu égal. *Mais c'est le sang qui me fait peur*. Le sang dans ma chambre... sur mes vêtements... Nous avions un perroquet. *Un matin on l'a retrouvé dans ma chambre le cou tranché* et... j'étais couché, un rasoir plein de sang à la main !

Il se pencha davantage vers Poirot :

— Dernièrement, dans le village, un peu partout... on a tué des moutons, un chien. Père ferme ma porte à clef, le soir mais, parfois... parfois elle est ouverte, le matin. Je dois avoir une clef cachée quelque part, *mais je ne sais pas où*. Ce n'est pas moi qui fais tout cela, c'est quelqu'un qui prend possession de mon esprit, qui me transforme en monstre assoiffé de sang et incapable de boire de l'eau...

Brusquement, il enfouit son visage entre ses mains.

— Je ne comprends toujours pas que vous n'ayez pas vu de médecin, dit Poirot au bout de quelques minutes.

— Vraiment ? Physiquement, je suis fort... aussi

solide qu'un bœuf. Je peux vivre des années... des années enfermé ! Cela non, je ne m'y ferai jamais. Il y a d'autres façons de s'en tirer. Un accident... en nettoyant une arme. Diana comprendra... J'aime mieux m'en sortir à ma façon !

Il jeta un regard de défi au détective qui ne releva pas mais posa une simple question :

— Que buvez-vous et que mangez-vous ?

Hugh Chandler renversa la tête en arrière et éclata d'un rire puissant.

— Des cauchemars provoqués par une indigestion ? C'est ça, votre idée ?

— Que buvez-vous et que mangez-vous ? répéta doucement Hercule Poirot.

— J'ai le même régime que les autres !

— Pas de médicament particulier ? Des cachets ? Des pilules ?

— Seigneur, non ! Croyez-vous vraiment qu'il suffirait de pilules pour me guérir ?

— Quelqu'un dans cette maison a-t-il des troubles oculaires ?

Hugh Chandler regarda Poirot avec stupeur.

— Père a des ennuis de ce côté-là, dit-il enfin. Il doit voir l'oculiste assez fréquemment.

— Ah !

Poirot resta songeur quelques instants puis :

— Le colonel Frobisher a dû passer une partie de sa vie aux Indes ?

— Oui. Il faisait partie de l'armée des Indes. Il est très calé sur tout ce qui touche à ce pays... Il en parle beaucoup... Il raconte les coutumes locales.. tout, quoi...

— Ah ! répéta Poirot à voix contenue. Vous vous êtes coupé le menton ? remarqua-t-il.

Hugh porta la main à l'endroit indiqué.

— Oui, et c'est assez profond. Père m'a surpris un jour au moment où je me rasais. Je suis un peu nerveux, en ce moment. J'ai sursauté et je me suis entaillé le menton et une partie du cou. Cela complique l'opération du rasage.

— Vous devriez mettre une crème adoucissante.

— J'en emploie une que l'oncle George m'a donnée. (Il se mit à rire.) Nous parlons comme les employés d'un institut de beauté : pilules calmantes, crème adoucissante, troubles oculaires. A quoi cela rime-t-il ? Où voulez-vous en venir, monsieur Poirot ?

— Je suis en train d'essayer de faire ce que je peux pour Diana Maberly, répondit Poirot avec calme.

Les traits du jeune homme changèrent d'expression, se firent plus graves. Il posa sa main sur le bras de Poirot.

— Oui, faites ça. Dites-lui d'oublier... que rien ne sert d'espérer. Racontez-lui certaines des histoires que je vous ai racontées... Dites-lui... Oh ! dites-lui de s'éloigner de moi ! C'est la seule chose qu'elle puisse faire pour moi, à présent. Partir... et oublier !

— Avez-vous du courage, mademoiselle ? Beaucoup de courage ? Vous en avez besoin.

— Alors, c'est vrai ? s'écria Diana. Il est fou ?

— Je ne suis pas aliéniste, mademoiselle. Ce n'est pas à moi de dire : « Cet homme est fou, celui-ci ne l'est pas. »

Elle se rapprocha de lui.

— L'amiral Chandler pense que Hugh est fou. George Frobisher est du même avis. Hugh, lui-même, est persuadé de l'être.

— Et vous, mademoiselle ?

— Moi ? *Je dis qu'il ne l'est pas !* C'est pourquoi...

— C'est pourquoi vous êtes venue me trouver ?

— Oui. Pourquoi l'aurais-je fait autrement ?

— C'est justement la question que je me posais, mademoiselle !

— Je ne vous comprends pas.

— Qui est Stephen Graham ?

Elle eut l'air surpris.

— Stephen Graham ? C'est... juste un garçon comme un autre. (Elle lui saisit le bras.) A quoi pensez-vous ? Quelle est votre idée ? Vous êtes là... et vous ne me dites rien ! Vous me plongez dans une terrible inquiétude. Pourquoi me faites-vous peur ?

— Peut-être, répondit Poirot, parce que j'ai peur, moi-même.

Ses grands yeux gris doublèrent de volume.

— De quoi ? murmura-t-elle.

Hercule Poirot poussa un profond soupir.

— Il est beaucoup plus facile d'attraper un meurtrier que de prévenir un meurtre, dit-il.

Elle poussa un cri.

— Oh ! n'employez pas ce mot !

— Il le faut, cependant, répondit-il.

Puis il changea de manière, se fit autoritaire.

— Mademoiselle, nous devons, vous et moi, passer la nuit à Lyde Manor, c'est indispensable. Puis-je compter sur vous pour régler cette question ?

— Je... oui... sans doute. Mais pourquoi ?

— Parce qu'il n'y a pas de temps à perdre. Vous m'avez dit avoir du courage, prouvez-le. Faites ce que je vous demande et ne posez pas de questions.

Elle hocha la tête et s'éloigna sans un mot.

Poirot attendit quelques minutes avant de la suivre dans la maison. La jeune fille parlait dans la bibliothèque avec les trois hommes.

Il gravit le grand escalier. Il n'y avait personne sur le palier du premier étage.

Il n'éprouva aucune difficulté à trouver la chambre de Hugh Chandler. Dans le cabinet de toilette, une plaque de verre, au-dessus du lavabo, supportait une série de pots et de flacons.

Hercule Poirot se mit à l'œuvre et ne perdit pas de

temps. Il avait regagné le hall quand Diana sortit de la bibliothèque, les joues rouges, le regard brillant.

— C'est fait ! dit-elle.

L'amiral parut à son tour et fit entrer le détective dans la bibliothèque dont il ferma la porte.

— Monsieur Poirot, je n'aime pas ça, dit-il.

— Et quoi donc, amiral ?

— Diana a insisté pour que vous passiez la nuit ici, tous les deux. Je ne veux pas paraître inhospitalier mais... franchement, monsieur Poirot, cela ne me plaît pas. Je ne comprends pas. Quel bien cela peut-il faire ?

— Disons que je tente une expérience ?

— Quel genre d'expérience ?

— Vous m'excuserez, mais cela me regarde...

— Mais, monsieur, je ne vous ai pas demandé de venir ici...

Poirot l'interrompit.

— Croyez-moi, amiral, je comprends et j'apprécie votre façon de voir. Je ne suis ici que par la grâce de l'obstination d'une jeune fille amoureuse. Vous m'avez dit certaines choses, le colonel Frobisher m'en a dit d'autres, Hugh aussi. A présent, je veux voir moi-même.

— Mais voir *quoi* ? Je vous l'ai dit, il n'y a rien à voir ! J'enferme Hugh dans sa chambre tous les soirs, un point c'est tout !

— Et, cependant, la serrure de sa porte n'est pas fermée, le matin, m'a-t-il dit.

— Quoi ?

— N'avez-vous jamais trouvé la porte ouverte, vous-même ?

Chandler fronça les sourcils.

— J'ai cru que George l'avait ouverte... A quoi pensez-vous ?

— Où laissez-vous la clef ? Dans la serrure ?

— Non. Sur la console, à côté. Quand ce n'est pas

moi, George ou Withers, le valet de chambre, l'y prennent, le matin. Nous avons dit à Withers que Hugh marchait en dormant... Il se doute vraisemblablement du reste... Mais c'est un garçon fidèle... Il est chez moi depuis des années.

— Y a-t-il une autre clef ?

— Pas que je sache.

— On a pu en faire une.

— Mais qui ?

— Votre fils pense qu'il en a caché une quelque part, mais il ignore où.

De l'autre extrémité de la pièce, le colonel Frobisher prit la parole.

— Cela ne me plaît pas, Charles... La petite...

— C'est justement à quoi je pensais, dit vivement l'amiral. Elle ne doit pas dormir avec nous. Restez si vous voulez mais...

— Pourquoi ne voulez-vous pas de la présence de miss Maberly ici, cette nuit ?

— C'est trop risqué, dit Frobisher d'une voix sourde.

— Hugh l'aime infiniment, fit remarquer Poirot.

— C'est justement pour ça ! s'écria Chandler. Mais bon sang, mon ami, tout est à reconsidérer quand il est question d'un fou. Hugh lui-même le sait. Il ne faut pas que Diana revienne ici !

— Pour cela, répondit Poirot, elle décidera ellemême.

Il sortit de la pièce. Diana attendait, au-dehors, dans sa voiture. Elle appela le détective.

— Allons chercher ce qu'il nous faut pour la nuit. Nous serons revenus à temps pour le dîner.

En cours de route, Poirot lui répéta la conversation qu'il avait eue avec l'amiral et le colonel.

Elle eut un rire ironique.

— Croient-ils que Hugh voudrait me faire mal, à *moi* ?

42

Au lieu de lui répondre, Poirot lui demanda si elle accepterait de s'arrêter en passant chez le pharmacien du village. Il avait oublié, dit-il, d'emporter une brosse à dents.

La jeune fille attendit dans sa voiture pendant que Poirot faisait ses achats. Elle trouva qu'il mettait très longtemps à choisir sa brosse à dents...

Hercule Poirot ne se coucha pas dans le vaste lit mis à sa disposition. Assis dans un fauteuil, il attendit. Il n'y avait rien d'autre à faire.

L'alerte arriva avec les premières lueurs de l'aube.

Au bruit des pas résonnant dans le couloir, Poirot tira son verrou et ouvrit sa porte. L'amiral, le visage pétrifié, et le colonel, agité de tics, étaient derrière la porte.

— Voulez-vous venir avec nous, monsieur Poirot ? dit simplement Chandler.

Devant la chambre de Diana Maberly, un homme gisait, tassé sur lui-même. La lumière éclairait une masse de cheveux fauves en désordre.

Hugh Chandler respirait spasmodiquement. Dans la main droite il tenait un poignard courbe acéré. La lame était marquée de taches rouges.

— *Mon Dieu !* dit Poirot.

— Elle va bien, fit Frobisher d'un ton sec. Il n'y a pas touché.

Puis il éleva la voix.

— Diana ! C'est nous ! Ouvrez !

Poirot entendit l'amiral grogner, murmurer quelque chose entre ses dents.

— Mon enfant, mon pauvre enfant.

Il y eut un bruit de verrou que l'on repousse et Diana parut, très pâle.

— Qu'est-il arrivé ? bredouilla-t-elle. Quelqu'un a... a essayé d'entrer... On a gratté le panneau de la porte... Oh ! c'était affreux... *On aurait dit un animal.*

— Dieu merci, votre porte était fermée ! dit Frobisher sèchement.

— M. Poirot m'avait recommandé de le faire.

— Relevons-le et portons-le à l'intérieur, dit Poirot.

Les deux hommes relevèrent le garçon inconscient. Diana étouffa un cri.

— Hugh ? C'est Hugh ? Qu'a-t-il sur les mains ?

Les mains du jeune homme étaient poisseuses, enduites d'un liquide brun-rouge.

— Est-ce du sang ?

Poirot lança un regard interrogateur aux deux autres hommes.

— Dieu merci, ce n'est pas du sang humain, dit l'amiral. Un chat ! Je l'ai trouvé en bas, dans le hall. La gorge tranchée. Ensuite, il a dû monter ici...

— Ici ? répéta Diana d'une voix que l'horreur étranglait. Chez *moi* ?

Hugh Chandler commençait à remuer sur le siège dans lequel on l'avait mis. Il se redressa, cligna des yeux.

— Bonjour, dit-il d'une voix pâteuse. Que s'est-il passé ? Pourquoi suis-je ?...

Il s'interrompit à la vue du couteau qu'il tenait encore à la main.

— *Qu'ai-je fait ?*

Il les regarda les uns après les autres.

— Ai-je attaqué Diana ?

Son père secoua la tête.

— *Dites-moi ce qui s'est passé !* J'ai le droit de savoir !

On le lui dit, avec réticence.

Le soleil se levait. Hercule Poirot écarta un rideau. La clarté radieuse du jour envahit la chambre.

Hugh Chandler s'était composé un visage. Il parla d'une voix ferme.

— Je vois, dit-il.

Puis il se leva, sourit et s'étira.

— Quel temps splendide, n'est-ce pas ? constatat-il d'un ton parfaitement naturel. Je crois que je vais faire un tour dans les bois et essayer de tirer un lapin.

Il sortit de la chambre sous leurs yeux agrandis.

Puis l'amiral fit un geste en avant. Frobisher le saisit par le bras.

— Non, Charles, non. C'est le meilleur moyen... pour lui, pauvre diable... Si ce n'est pour les autres...

Diana s'était jetée sur son lit, secouée de sanglots.

— Tu as raison, George, reconnut l'amiral d'une voix trébuchante. Cet enfant a du courage...

— *C'est un homme.*

Il y eut un instant de silence que rompit l'amiral Chandler.

— Bon sang ! Où est passé ce Belge de malheur ?

Hugh Chandler avait retiré son fusil du râtelier et entreprenait de le charger quand Poirot lui posa une main sur l'épaule. Le petit détective ne prononça qu'un seul mot, mais il le dit avec autorité :

— *Non !*

— Otez votre main de sur mon épaule ! Ne vous mêlez pas de cela ! *Ce sera un accident !* Je vous l'ai dit, c'est la seule façon d'en sortir.

— *Non !* répéta Hercule Poirot.

— Ne comprenez-vous pas que si elle n'avait pas fermé sa porte à clef, j'aurais égorgé Diana... *Diana !*

— Vous n'auriez pas tué miss Maberly.

— J'ai tué le chat. Vous n'allez pas dire le contraire ?

— Non, vous ne l'avez pas tué, pas plus que vous n'avez tué le perroquet, ni les moutons.

Hugh le regarda avec stupeur.

— Lequel de nous deux est fou ? Vous ou moi ?

— *Ni l'un ni l'autre.*

Au même instant, l'amiral Chandler et le colonel

Frobisher entrèrent dans la pièce, suivis par Diana.

— Il prétend que je ne suis pas fou..., leur dit Hugh d'une voix tremblante, voilée.

— Je suis heureux de vous annoncer que vous êtes absolument sain d'esprit, insista le détective.

Hugh éclata de rire, de ce rire que l'on attribue volontiers aux idiots.

— C'est trop drôle ! Il est parfaitement normal, n'est-ce pas, de trancher la gorge de tous les animaux que l'on rencontre ? J'étais en possession de toutes mes facultés quand j'ai égorgé le perroquet ? et le chat, cette nuit ?

— Je vous le répète, ce n'est pas vous qui l'avez fait.

— Alors, qui est-ce ?

— Chaque fois, on vous a administré un puissant soporifique et on vous a mis entre les doigts un couteau ou un rasoir ensanglantés.

— Mais pourquoi ?

— Pour que vous en arriviez à faire ce que vous projetiez à l'instant, quand je vous ai arrêté.

Poirot se tourna vers le colonel Frobisher.

— Mon colonel, vous avez vécu longtemps aux Indes, n'est-ce pas ? N'avez-vous jamais rencontré de gens rendus fous délibérément par l'administration de drogues ?

Le visage du colonel s'éclaircit.

— Je n'en ai jamais vu personnellement mais j'en ai souvent entendu parler. On se sert de datura.

— Exactement. Le principe essentiel du datura est très proche de l'alcaloïde d'atropine, que l'on obtient avec la belladone. Les préparations à base de belladone sont courantes et l'on prescrit souvent le sulfate d'atropine pour les soins des yeux. En consultant plusieurs médecins et en faisant exécuter les ordonnances à des endroits différents, on peut se constituer une jolie provision de poison sans éveiller les soupçons. Une fois l'extraction d'alcaloïde faite, on peut l'introduire, disons... dans une crème à raser. L'application de cette crème provoquera des rougeurs que le rasoir ne fera qu'aggraver et la drogue pénétrera continuellement sous la peau. Elle provoquera certains symptômes tels que le dessèchement de la bouche et de la gorge, des difficultés de déglutition, des hallucinations, *tous symptômes dont Mr Chandler a fait l'expérience.*

Il se tourna vers le jeune homme.

— Et pour vous ôter vos derniers doutes, je vous dirai *que votre crème à raser est saturée de sulfate d'atropine.* J'en ai pris un échantillon et je l'ai fait analyser.

Hugh, très pâle, tremblait.

— *Qui a fait cela ?* demanda-t-il. Pourquoi ?

— C'est ce que j'ai cherché à savoir depuis mon arrivée ici. J'ai passé en revue les personnes qui auraient eu un intérêt à vous tuer. Diana Maberly gagnait financièrement à votre mort mais je ne me suis pas attaché à cette hypothèse...

— Je l'espère bien ! s'écria le jeune homme.

— Alors, j'ai envisagé une autre possibilité. Le triangle éternel : deux hommes, une femme. Le colonel Frobisher aimait votre mère qui a épousé l'amiral Chandler.

— George ? George ? s'exclama l'amiral. Je ne veux pas le croire !

— Voulez-vous dire que la haine peut se reporter à... à un fils ? demanda Hugh, incrédule.

— Dans certains cas, oui.

— C'est un fieffé mensonge ! Ne le crois pas, Charles.

Chandler, déjà, s'était reculé.

— Le datura... L'Inde, oui... Je comprends, murmura-t-il. Et jamais nous n'avons pensé au poison à cause des cas de folie, dans la famille...

— Eh oui, dit Hercule Poirot d'une voix forte. *La folie dans le sang*. Un fou assoiffé de vengeance... Adroit comme savent l'être les déments cachant leur folie pendant des années.

Il se tourna brusquement vers Frobisher :

— Mon Dieu, vous avez dû *savoir, soupçonner*, que Hugh *était* votre fils ? Pourquoi ne le lui avoir jamais dit ?

Frobisher bredouilla, avala sa salive avec peine.

— Je ne le savais pas. Je n'avais aucune certitude... Caroline est venue me trouver, un jour, anxieuse, très agitée... Elle avait peur de quelque chose. J'ai toujours ignoré de quoi. Elle... Je... Nous avons perdu la tête. Je suis parti aussitôt... C'était la seule chose à faire. Je... je me suis demandé si... Mais Caroline ne m'a jamais rien dit qui ait pu me faire croire que Hugh était mon fils. Et puis, quand ces signes de folie ont apparu, j'ai cru que cela réglait définitivement la question.

— Ah oui ! Vous ne vous êtes donc pas rendu compte que ce garçon fronce les sourcils *comme vous*, qu'il a la même façon de projeter le menton en avant. Mais Charles Chandler l'a remarqué, *lui*. Il y a déjà plusieurs années... Et sa femme lui a dit la vérité. Elle devait avoir peur de lui... Il avait dû déjà manifester certaines tendances à la démence... Cela l'a jetée dans vos bras, elle vous a toujours aimé. Charles Chandler a préparé sa vengeance. *Il est le seul à savoir comment elle a pu se noyer*. Puis il a reporté sa haine sur l'enfant qui portait son nom et qui n'était pas son fils. Vos histoires de coutumes indiennes lui ont donné l'idée de rendre Hugh fou peu à peu, de l'amener à se tuer par désespoir. C'est l'amiral Chandler qui est assoiffé de sang, non pas Hugh. C'est Charles Chandler qui égorgeait les moutons. Mais c'est Hugh qui était censé payer au bout du compte. Savez-vous quand j'ai commencé à avoir des soupçons ? Quand

Chandler m'a dit s'opposer à montrer son fils à un médecin. Pour Hugh, qui était persuadé — que l'on persuadait — être fou, l'opposition était naturelle. Mais le père ! Il aurait dû être à la recherche du moindre traitement susceptible de soigner, de guérir son fils. Or, dans le cas présent, c'eût été beaucoup trop risqué, le médecin aurait découvert que son patient était sain d'esprit.

— Je suis sain d'esprit ? répéta Hugh très lentement.

Puis il fit un pas vers Diana.

— Tu n'as rien à craindre de ce côté ! dit Frobisher d'une voix bourrue. Il n'y a pas de tare dans *notre* famille.

— *Hugh*..., murmura Diana.

L'amiral Chandler ramassa le fusil abandonné par le jeune homme.

— Stupide galimatias ! Je vais voir si je peux faire débouler un lapin...

Hercule Poirot retint Frobisher qui, déjà, faisait un geste vers Chandler.

— Vous l'avez dit vous-même il y a un instant : c'est la seule façon...

Hugh et Diana sortirent de la pièce.

Les deux hommes restés seuls, l'Anglais et le Belge, regardèrent le dernier des Chandler traverser le parc, disparaître sous les arbres.

Puis il y eut un coup de fusil...

LES CHEVAUX DE DIOMÈDE
(The horses of Diomedes)

La sonnerie du téléphone grésilla.
— Allô ? C'est vous, Poirot ?

Hercule Poirot reconnut la voix du jeune Dr Stoddart. Il avait beaucoup d'affection pour Michael Stoddart. Son sourire amical, un peu timide, l'intérêt naïf qu'il portait aux affaires criminelles en étaient les premières raisons. De surcroît, il respectait en lui sa conscience professionnelle.

— Cela m'ennuie de vous déranger, continuait le jeune homme, hésitant.

— Mais il y a quelque chose qui *vous* ennuie ?

— Comme vous dites, répondit Michael Stoddart, manifestement soulagé.

— Eh bien ! que puis-je faire pour vous, mon ami ?

— Je... enfin, sans doute me trouverez-vous vraiment sans gêne si je vous demande de venir à une heure pareille... Mais... Mais... Je... je suis vraiment dans le pétrin.

— Dans ce cas, j'arrive ! Où ça ? Chez vous ?

— Non... Je suis au numéro 17 Conningley Mews. Vraiment, vous pouvez venir ? Je vous en serai éternellement reconnaissant.

Il était plus de 1 heure du matin et la plupart des gens devaient dormir : exception faite d'une ou deux fenêtres encore éclairées, la rue était plongée dans l'obscurité.

Au moment où le détective atteignit le numéro 17, la porte s'ouvrit et le Dr Stoddart s'encadra sur le seuil.

— Vous êtes chic ! dit-il. Vous voulez monter ?

Un escalier étroit comme une échelle conduisait à l'étage supérieur. Sur la droite, en haut, on débouchait dans une assez grande pièce meublée de divans, de tapis, de coussins et encombrée d'un nombre important de bouteilles et de verres dont certains étaient brisés. Des mégots traînaient un peu partout.

— Mon cher Watson, dit Poirot, j'ai la nette impression que cette pièce a servi de cadre à une réception.

— Oui, admit le médecin. Et une réception carabinée.

— Vous n'en faisiez pas partie ?

— Non. Je n'y ai participé que dans l'exercice strict de ma profession.

— Que s'est-il passé ?

— Cet endroit appartient à une certaine Mrs Patience Grace.

— C'est un nom charmant, commenta Poirot.

— Il n'y a rien de charmant chez Mrs Grace ! Oh ! elle n'est pas laide... Après avoir usé deux ou trois maris, elle vient de jeter son dévolu sur un type qu'elle soupçonne d'infidélité. Ils ont commencé par boire et ils ont continué en se droguant. De la cocaïne, pour être précis. Au début, la cocaïne vous donne l'impression d'être un héros capable de faits impressionnants. Mais, que l'on en prenne trop et l'on devient violent, irascible. Mrs Grace s'est prise de querelle avec son bien-aimé, un individu assez déplaisant qui s'appelle Hawker. Résultat, il est parti. Elle s'est penchée par la fenêtre et lui a tiré dessus avec un revolver flambant neuf que quelqu'un avait eu l'idée lumineuse de lui donner.

— L'a-t-elle atteint ? demanda Poirot.

— Pas lui ! La balle est passée à plusieurs mètres... Mais elle a touché un misérable chiffonnier qui fouillait dans les poubelles. Il a été blessé dans le gras du bras. Il a ameuté tout le quartier et on l'a porté ici. Il perdait beaucoup de sang... On m'a appelé.

— Alors ?

— Je l'ai pansé. Blessure sans gravité. On l'a calmé. Il a accepté dix ou vingt livres et il s'est tu. Ça tombait bien pour lui, pauvre diable. Un vrai coup de chance.

— Et vous ?

— J'ai eu pas mal de travail. Mrs Grace était en pleine crise de nerfs. Je lui ai fait une piqûre calmante et on l'a mise au lit. Il a fallu que je soigne aussi une jeune fille, une très jeune fille. Elle était complètement dans le cirage. Tous les autres ont filé aussi vite qu'ils l'ont pu.

— Et vous avez eu le temps de réfléchir à la situation ?

— Oui. S'il ne s'était agi que d'une saoulographie générale... Mais la drogue, c'est autre chose.

— Vous êtes certain de ce que vous avancez ?

— Oh ! absolument. Pas d'erreur possible. C'est de la cocaïne. J'en ai d'ailleurs trouvé dans une boîte... Ils la prisent. Mais d'où vient-elle ? Je me suis souvenu de notre dernière conversation au sujet de la nouvelle vague de stupéfiants...

— La police s'intéressera à la réception de cette nuit, dit Poirot.

— C'est justement..., remarqua le jeune médecin sans enthousiasme.

Poirot le regarda avec un intérêt tout nouveau.

— Mais... en quoi cela peut-il vous ennuyer ?

— Il y a toujours des innocents qui se trouvent mêlés à ces histoires... Cela peut les marquer terriblement.

— Votre sollicitude s'adresse-t-elle à Mrs Patience Grace ?

— Seigneur, non ! C'est un vieux cheval de retour !

— Alors... sans doute à la « très jeune fille » ? suggéra Poirot, doucement.

— Evidemment, dans un sens, c'est, elle aussi, un drôle de numéro. En tout cas, elle aime à se déclarer émancipée. Mais elle est très jeune, un peu exaltée... un peu cheval échappé. Elle s'est mêlée à un milieu comme celui-ci parce qu'elle imagine que c'est se montrer à la page.

Poirot eut un léger sourire.

— Vous aviez déjà rencontré cette jeune personne, avant ce soir ?

Michael Stoddart fit un signe affirmatif. On aurait dit un petit garçon, soudain.

— Je l'ai rencontrée à Mertonshire, au bal des chasseurs. Son père est un général en retraite très armée des Indes, irascible en diable. Il a quatre filles, toutes un peu excentriques... ce qui n'a rien d'étonnant avec un père comme le leur. Elles sont entourées de mauvais exemples. Dans la région, les gens ont beaucoup d'argent et cherchent les distractions les plus « piquantes ».

Hercule Poirot regarda son interlocuteur d'un air songeur.

— Je comprends maintenant pourquoi vous m'avez fait appeler. Vous voulez me voir prendre l'affaire en main ?

— Acceptez-vous ? Je l'avoue, j'aimerais, dans la mesure du possible, protéger Sheila Grant contre une publicité fâcheuse.

— Cela peut sans doute s'arranger. Puis-je la voir ?

— Suivez-moi.

Au moment où ils sortaient de la pièce quelqu'un poussa un cri dans une pièce voisine.

— Docteur ! Je vous en suppplie, docteur, je deviens folle !

Poirot suivit le médecin qui était entré dans une chambre à coucher où régnait un désordre indescriptible. Une femme aux cheveux décolorés, au regard à la fois vague et malveillant, se tordait sur le lit bouleversé.

— Regardez ces bêtes qui grouillent ! Je vous jure que c'est vrai. Je deviens folle... Mon Dieu, faites-moi une piqûre. N'importe quoi !

Laissant le médecin s'occuper de la femme, Poirot

s'en alla ouvrir une autre porte, un peu plus loin.

Elle donnait sur une minuscule chambre à coucher, meublée avec parcimonie.

Sur la pointe des pieds, Hercule Poirot s'approcha du lit et regarda son occupante. Des cheveux noirs, un visage allongé, pâle et... oui... jeune.. très jeune...

Une petite ligne blanche se dessina entre les paupières de la jeune fille. Puis elle ouvrit de grands yeux effrayés. Elle se redressa, rejeta d'un coup de tête la lourde masse de sa chevelure. On aurait dit un poulain apeuré... elle se recula comme un animal craintif auquel un inconnu veut donner à manger.

— Qui diable êtes-vous ?

Le ton enfantin de sa voix contrastait avec la brutalité de la question.

— N'ayez pas peur, mademoiselle.

— Où est le Dr Stoddart ?

A cet instant le jeune homme entra dans la chambre.

— Ah, vous êtes là ! dit la jeune fille, manifestement soulagée. Qui est-ce, celui-là ?

— C'est un de mes amis, Sheila. Comment vous sentez-vous, à présent ?

— Horriblement mal... Pourquoi ai-je pris cette saleté ?

— A votre place, je ne recommencerais pas ! dit Stoddart d'un ton sec.

— Je... je ne le ferai plus.

— Qui vous a donné la drogue ? demanda Poirot.

Les yeux s'agrandirent, la lèvre supérieure se crispa un peu.

— C'était ici... Nous avons essayé, tous. Au début... c'était merveilleux.

— Mais qui l'a apportée ici ? insista Poirot.

Elle secoua la tête.

— Je ne sais pas... Tony, peut-être. Tony Hawker. Mais je ne sais rien d'autre.

— Est-ce la première fois que vous prenez de la cocaïne, mademoiselle ? demanda doucement Poirot.

Elle fit un signe affirmatif.

— Eh bien, que ce soit la dernière ! dit Stoddart avec brusquerie.

— Oui... Bien sûr... Mais c'était merveilleux.

— Ecoutez-moi bien, Sheila, dit le jeune homme d'un ton ferme. Je suis médecin et je sais de quoi je parle. J'ai vu des droguées et je vous jure que ce n'est pas beau. La drogue *détruit* celui qui en prend. Par comparaison, l'alcoolisme est une amusette. N'y touchez plus jamais ! Croyez-moi, cela n'a rien de drôle. Et que dirait votre père de la petite histoire de ce soir ?

— Mon père ? répéta Sheila d'une voix aiguë. Mon père ? (Puis elle se mit à rire.) Oh ! je vois sa tête d'ici ! Autant qu'il ne sache rien ! Il aurait une attaque !

— Et à juste titre.

— Docteur... docteur..., gémit Mrs Grace, dans la pièce voisine.

Stoddart sortit de la chambre en grommelant.

— Qui êtes-vous au juste ? demanda Sheila à Poirot. Vous n'étiez pas à la soirée.

— Non, effectivement. Je suis un ami du Dr Stoddart.

— Vous êtes médecin aussi ? Vous n'avez pas une tête à ça.

— Je m'appelle Hercule Poirot, répondit le détective, comme on annonce le premier acte d'une pièce.

Cela fit d'ailleurs l'effet désiré. Poirot, d'habitude, éprouvait une certaine tristesse à se voir ignoré par une jeune génération dénuée de subtilité.

Mais, de toute évidence, Sheila Grant avait entendu parler de lui. Stupéfaite, anéantie, elle ne le quittait plus des yeux...

On a dit que tout le monde avait une tante à Torquay.

On a dit également que tout le monde avait au moins un cousin dans le Mertonshire. Point trop éloigné de Londres, on y chasse, on y pêche ; quelques villages très pittoresques y sont desservis par un bon réseau routier et ferroviaire. Les domestiques acceptent d'y aller travailler. Résultat : il est presque impossible d'habiter le Mertonshire à moins de disposer d'une fortune considérable.

Hercule Poirot, n'étant pas sujet britannique, n'avait pas de cousin dans la région, mais il avait beaucoup de relations et il n'éprouva pas de difficulté à s'y faire inviter. Il avait choisi lui-même son hôtesse, délicieuse vieille dame dont le plus grand plaisir consistait à exercer sa langue aux dépens de ses voisins. Poirot eut à subir un récit détaillé des tenants et aboutissants de gens qui lui étaient profondément indifférents avant de pouvoir en arriver à ceux qui l'intéressaient.

— Les Grant ? Oh oui ! Il y a quatre enfants. Quatre filles. Je ne m'étonne pas que le pauvre général ne puisse les tenir. Que peut un homme avec quatre filles !

Lady Carmichael éleva vers le ciel des mains éloquentes.

— Oui, n'est-ce pas ? approuva Poirot.

— Pourtant, dans son régiment, d'après ce qu'il m'a dit, il faisait régner une discipline de fer. Mais ses filles sont plus fortes que lui. Ah ! ce n'était pas comme cela dans ma jeunesse. Le vieux colonel Sandys était tellement sévère, lui, que ses pauvres filles...

(Longue incursion dans le passé.)

— Non pas que les petites Grant soient impossibles, reprit enfin la vieille dame. Elles ont simplement la tête près du bonnet... et elles sont dans un milieu très déplaisant. Ah ! la région a changé ! Les gens les plus étranges viennent s'y installer. Une seule chose compte, à présent : l'argent. Et ces histoires que l'on raconte ! Qui, dites-vous ? Anthony Hawker ? Oui, je le connais. Un jeune homme fort peu sympathique. Mais il semble rouler sur l'or. Il vient chasser par ici, il donne des réceptions... d'un genre assez spécial si l'on en croit tout ce que l'on raconte... Mais les gens sont tellement méchants. Il est devenu du dernier chic de prétendre que les gens boivent ou se droguent. On l'a dit de Mrs Larkin et, bien que cette femme ne m'intéresse pas, je suis persuadée que, dans son cas, ce n'est pas autre chose qu'un air vague provoqué par la stupidité. C'est une grande amie de votre Anthony Hawker et c'est sans doute pourquoi elle regarde de travers les petites Grant... A l'entendre, ce sont des mangeuses d'hommes ! Elles sont un peu coureuses, je vous l'accorde, mais après tout, c'est naturel. D'autant plus que, chacune dans leur genre, elles sont jolies !

Poirot risqua une question.

— Mrs Larkin ? Mon cher, comment aujourd'hui peut-on dire *qui* est quelqu'un ? Elle monte, paraît-il, bien à cheval et elle est visiblement à l'abri du besoin. Le mari était quelque chose dans la banque. Il est mort, pas divorcé. Il y a peu de temps qu'elle est ici. Elle est arrivée juste après les Grant. J'ai toujours pensé que...

La vieille dame s'interrompit brusquement. Elle resta la bouche ouverte et ses yeux parurent lui sortir de la tête. Se penchant brusquement en avant, elle administra sur les doigts de Poirot un violent coup de coupe-papier. Elle ne tint aucun compte du gémissement de douleur qui lui échappa.

— J'ai compris ! s'écria-t-elle. J'ai compris pourquoi vous êtes venu, horrible petit hypocrite. Dites-moi tout !

— Mais sur quoi ?

Lady Carmichael brandit son coupe-papier. Poirot évita le coup avec dextérité.

— Hercule Poirot, je vois vos moustaches trembler ! Ne vous fermez pas comme une huître. C'est évidemment un *crime* qui vous a conduit jusqu'ici... Et vous essayez de me tirer les vers du nez sans la moindre vergogne ! Voyons un peu, s'agit-il d'un meurtre ?.. Qui est mort, ces temps derniers ?... Personne sinon la vieille Louisa Gilmore, mais elle avait quatre-vingt-cinq ans et elle était hydropique. Ce pauvre Leo Staverton est dans le plâtre à la suite de sa chute de cheval mais il n'est pas mort, que je sache !... Non... Peut-être n'est-ce pas un meurtre. Quel dommage ! Je ne me souviens d'aucun cambriolage récent... Beryl Larkin ? A-t-elle empoisonné son mari ? Son air absent est peut-être dû aux remords !

— Madame, madame ! s'écria Hercule Poirot. Vous allez trop loin.

— Ne dites pas d'idioties. Vous êtes sur une piste, Hercule Poirot.

— Etes-vous forte en mythologie, madame ?

— Qu'est-ce que cela vient faire ici ?

— Je m'efforce d'imiter mon illustre prédécesseur Hercule. L'un de ses travaux a consisté à apprivoiser les chevaux sauvages de Diomède.

— N'allez pas me raconter que vous êtes ici pour dresser des chevaux, à votre âge et avec des chaussures vernies ! Vous me faites l'effet de n'avoir jamais vu un cheval de près !

— Les chevaux, madame, sont symboliques ! Ils étaient sauvages et se nourrissaient de chair humaine.

— Quelle sale habitude ! J'ai toujours pensé que les Anciens, grecs et romains, étaient des gens déplaisants. Ces statues, sans le moindre vêtement... Où en étais-je ? Ah oui ! Vous ne voulez pas me dire, misérable, si Mrs Larkin a tué son mari ? C'est peut-être

Anthony Hawker « l'assassin à la malle » de Brighton ?

Elle lui lança un regard plein d'espoir. Mais Poirot resta impassible.

— Hercule Poirot, si vous restez ici, sans rien me dire, à me regarder comme une chouette, je vous jette quelque chose à la tête !

— Soyez donc un peu patiente, conseilla le détective.

Ashley Lodge, la résidence du général Grant, n'était pas une grande maison. Située à flanc de coteau, elle avait d'assez belles écuries et un jardin plutôt négligé.

Un agent immobilier aurait qualifié l'intérieur de la maison d'« entièrement meublé ». Des bouddhas accroupis au fond de niches conçues pour eux coulaient des regards lourds sous leurs paupières obliques ; des tables basses recouvertes de cuivres repoussés jonchaient le sol ; des éléphants en processions garnissaient les cheminées et les murs s'ornaient d'œuvres indigènes.

Le général Grant, une jambe bandée posée sur un tabouret, occupait un fauteuil aux ressorts affaissés au centre de ce décor anglo-indien.

— La goutte, expliqua-t-il. Jamais eu de goutte, monsieur... euh, Poirot ? Ça n'arrange pas le caractère ! Et tout ça par la faute de mon père ! Il a bu du porto toute sa vie... mon grand-père aussi... c'est moi qui écope. Voulez-vous boire quelque chose ? Sonnez, voulez-vous ?

Un serviteur enturbanné répondit au coup de sonnette et au nom d'Abdul. Le général lui donna l'ordre d'apporter whisky et soda. Son ordre exécuté, il se mit en devoir de servir de si généreuse façon que Poirot eut un geste de protestation.

— Hélas ! je ne peux pas vous tenir compagnie ! D'après mon médecin, c'est du poison pour moi. Me demande ce qu'il en sait ! Sale espèce, ces toubibs. Ça leur fait plaisir de m'obliger à manger du poisson bouilli ! Pouah !

Dans son indignation, le général eut un mouvement inconsidéré avec sa jambe malade et poussa une clameur de douleur. Puis il pria Poirot d'excuser son langage.

— Quand j'ai une attaque, je suis d'une humeur massacrante, alors mes filles me laissent tomber. Je ne peux pas leur en vouloir. Vous avez fait la connaissance de l'une d'entre elles, d'après ce que j'ai entendu ?

— En effet, j'ai eu ce plaisir. Vous en avez plusieurs, n'est-il pas vrai ?

— Quatre, répondit le général sans enthousiasme. Pas même un garçon. Quatre filles !

— Elles sont toutes ravissantes, à ce que l'on dit ?

— Pas trop mal... pas trop mal. Mais je ne sais jamais où elles sont. Impossible de surveiller ses filles, aujourd'hui. Il y a beaucoup trop de laisser-aller partout. Et que peut faire un homme seul ? Je ne peux tout de même pas les enfermer.

— Elles sont très populaires dans le voisinage, d'après ce que j'ai entendu.

— Oh ! il y a un tas de vieilles corneilles qui ne les aiment pas. Il ne faut pas se fier à la mine des gens. J'ai presque failli me faire avoir par une de ces « charmantes veuves ». Elle avait pris l'habitude de venir me voir en ronronnant comme un petit chat. « Oh ! général, vous avez dû avoir une vie tellement intéressante ! »

Le général cligna de l'œil.

— C'était un peu trop visible ! Je ne pense pas que la région soit pire qu'une autre. Un peu trop bruyante pour mon goût. J'aimais la campagne quand c'était encore la campagne... sans ces moteurs et cette satanée radio !

Doucement, Poirot amena la conversation sur Anthony Hawker.

— Hawker ? Hawker ? Connais pas. Eh si, pourtant. Un individu qui a les yeux trop rapprochés. Ne faites jamais confiance à un homme qui ne vous regarde pas en face.

— C'est un ami de votre fille Sheila, n'est-ce pas ?

— De Sheila ? J'ignorais. Mes filles ne me disent jamais rien.

Les sourcils broussailleux du général se froncèrent et ses yeux bleus perçants scrutèrent ceux du détective.

— Dites-moi, monsieur Poirot, de quoi s'agit-il exactement ? Pourquoi êtes-vous venu me voir ?

— Je le sais à peine moi-même, répondit Poirot. Je ne vous dirai que ceci : votre fille Sheila — et peut-être même toutes vos filles — se sont fait des amis peu recommandables.

— Elles ont de mauvaises fréquentations ? J'en avais un peu peur. Je sais que certains voisins jasent.

Il leva un regard pathétique sur Poirot :

— Mais, que puis-je faire ? Dites-moi, que puis-je faire ?

Poirot hocha la tête, perplexe.

— Qu'est-ce qui cloche, dans cette bande avec laquelle elles sortent ? insista le général.

Poirot répondit par une autre question.

— Avez-vous remarqué que l'une ou l'autre de vos filles ait été, ces temps derniers, rêveuse, agitée, puis déprimée... nerveuse, instable ?

— Mais bon sang, cher monsieur, vous parlez comme un médecin. Non, je n'ai rien remarqué de tel !

— C'est fort heureux, dit Poirot avec gravité.

— Mais où diable tout cela nous mène-t-il ?

— A la drogue.

— QUOI ?

C'était davantage un hurlement qu'une exclamation.

— On a tenté d'habituer votre fille Sheila aux stupéfiants. On s'habitue très vite à l'usage de la cocaïne. Une semaine ou deux peuvent suffire. Une fois l'habitude prise, la victime paiera n'importe quoi pour se procurer la drogue. Vous comprendrez quels confortables bénéfices peut faire celui qui en vend.

Le détective laissa passer en silence le flot de blasphèmes déversé par les lèvres du vieil homme. Puis, quand le feu s'éteignit sur une description de ce que le général entendait faire subir à l'enfant de salaud s'il lui tombait entre les mains, Hercule Poirot reprit la parole :

— Quand nous aurons mis le grappin dessus, je me ferai un plaisir de vous le livrer, mon général, dit-il.

Il se leva mais se prit le pied dans celui d'une petite table abondamment sculptée et n'évita la chute qu'en se raccrochant à l'épaule du général.

— Oh ! je vous demande mille pardons ! dit-il, confus. Mais puis-je vous demander, vous *prier*, de ne rien dire de tout cela à vos filles ?

— Quoi ? Je leur extorquerai la vérité, oui !

— Et vous obtiendrez tout le contraire. On vous mentira.

— Mais sacré bon sang, monsieur...

— Il *faut* vous taire, je vous l'assure. C'est vital, absolument *vital*, comprenez-moi.

— Ah ! bon, bon... faites comme vous l'entendez.

Il était réduit mais nullement convaincu.

Le salon de Mrs Larkin était plein de monde.

L'hôtesse dosait des cocktails devant une table appuyée à une cloison. C'était une grande femme aux cheveux auburn clair. Les pupilles de ses yeux gris étaient noires et dilatées. Elle se déplaçait avec une sorte de grâce un peu inquiétante. Seul un examen attentif pouvait révéler qu'elle était peut-être de dix ans plus âgée que les trente ans qu'elle paraissait.

Hercule Poirot avait été amené chez elle par une amie de lady Carmichael. Il se trouva soudain avec un cocktail dans une main, à son usage personnel, et un autre dans l'autre main destiné à une jeune fille assise à côté de la fenêtre.

La jeune fille était petite et blonde. Elle avait un teint blanc et rose et une expression faussement angélique. Poirot remarqua aussitôt la vivacité de son regard.

— A votre excellente santé, mademoiselle ! dit-il.

Elle fit un signe de tête, but, puis demanda brusquement :

— Vous connaissez ma sœur ?

— Votre sœur ? Ah ! vous êtes alors une des demoiselles Grant ?

— Je suis Pam Grant.

— Et où est votre sœur, aujourd'hui ?

— A la chasse. Elle ne tardera vraisemblablement pas.

— J'ai rencontré votre sœur à Londres.

— Je sais.

— Elle vous a raconté ?

Pam Grant fit un signe affirmatif.

— Sheila était-elle dans le pétrin ?

— Alors elle ne vous a pas tout dit ?

Elle secoua la tête.

— Tony Hawker était-il là ?

Avant que Poirot pût répondre, la porte s'ouvrit livrant passage à Hawker et à Sheila Grant. Ils étaient en tenue de chasse et Sheila avait une trace de boue sur la joue.

— Bonjour tout le monde. Nous sommes venus prendre un verre. La gourde de Tony est à sec.

Beryl Larkin s'était avancée.

— Ah ! vous voilà, Tony. Comment cela s'est-il passé ?

Elle l'entraîna vers un sofa, à côté de la cheminée. Poirot vit le jeune homme tourner la tête et jeter un coup d'œil à Sheila avant de suivre son hôtesse.

Sheila avait vu Poirot. Elle hésita une seconde puis elle s'approcha de la fenêtre.

— Alors, c'est *vous* qui êtes venu à la maison, hier ? dit-elle brusquement.

— Votre père vous a raconté ?

Elle secoua la tête.

— Abdul vous a décrit. J'ai... je me suis demandé...

— Vous avez été voir père ? s'écria Pam.

— Euh... oui. Nous avons... des amis communs.

— Je n'en crois rien, répliqua Pam.

— Que ne croyez-vous pas ? Que votre père et moi puissions avoir un ami commun ?

La jeune fille rougit.

— Ne soyez pas ridicule. Je veux dire... ce n'était pas pour ça que vous avez été le voir. (Elle se tourna vers Sheila.) Pourquoi ne dis-tu rien, Sheila ?

Sheila sursauta.

— Cela... cela n'avait-il rien à voir avec Tony Hawker ?

— Pourquoi cela ?

Sheila rougit et rejoignit les autres.

— Je n'aime pas Tony Hawker ! dit Pam avec une véhémence soudaine. Il... il y a quelque chose de sinistre en lui, et dans Mrs Larkin aussi. Regardez-les tous les deux.

Poirot suivit son regard.

La tête de Hawker était tout contre celle de son hôtesse. Il semblait vouloir l'amadouer mais elle éleva la voix.

— Mais je ne peux pas attendre. Je le veux tout de suite !

— Les femmes, dit Poirot avec un léger sourire, elles n'ont aucune patience.

Mais Pam Grant ne répondit pas. La tête baissée, elle faisait et redéfaisait nerveusement les plis de sa jupe.

— Vous êtes d'un type très différent de celui de votre sœur, mademoiselle.

Elle releva la tête d'un mouvement brusque, peu soucieuse de banalité.

— Monsieur Poirot, qu'est-ce que c'est que ce truc que Tony a donné à Sheila et qui l'a... tellement changée ?

Il la regarda droit dans les yeux.

— Avez-vous quelquefois pris de la cocaïne, mademoiselle ?

— Oh non ! Alors, c'est ça ? De la cocaïne ? Mais n'est-ce pas très dangereux ?

Sheila Grant les avait rejoints, un verre à la main.

— Qu'est-ce qui est dangereux ? demanda-t-elle.

— Nous parlions des effets de la drogue, répondit Poirot. De cette mort lente du corps et de l'esprit... de la destruction de tout ce qui est vrai et bon dans l'être humain.

Sheila Grant eut une exclamation étouffée. Une partie du contenu de son verre se répandit par terre.

— Le Dr Stoddart vous a expliqué, je crois, tout ce à quoi entraîne cette mort, *dans la vie*. C'est si vite fait... si difficile à rattraper. L'individu qui tire délibérément profit de la dégradation et de la douleur des autres est un vampire qui se nourrit de sang.

Puis le détective laissa là les jeunes filles.

Derrière son dos, Poirot entendit Pam qui disait : « Sheila ! » et, de cette dernière, il perçut un simple murmure, presque inaudible :

— *La gourde...*

Hercule Poirot fit ses adieux à Mrs Larkin.

Dans le hall, sur une table, une bombe de chasse

avoisinait une cravache et une gourde marquée des initiales *A.H.*

« La gourde de Tony est à sec. »

Poirot saisit l'objet, le secoua doucement — aucun bruit de liquide. Il défit le bouchon.

La gourde était pleine de poudre blanche...

Sur la terrasse de la maison de lady Carmichael, Hercule Poirot s'entretenait avec une jeune fille. Il parlait avec ferveur :

— Vous êtes très jeune, mademoiselle. Je suis persuadé que vous ne saviez pas ce que vous faisiez, vos sœurs et vous. Vous avez été nourries, comme les chevaux de Diomède, de chair humaine.

Sheila frissonna.

— Cela paraît horrible, présenté comme cela, dit-elle avec un sanglot. Et pourtant, c'est vrai ! Je n'avais pas compris, jusqu'à ce fameux soir, à Londres, où le Dr Stoddart m'a parlé. Il était si grave... si sincère. J'ai vu alors l'horreur de ce que je faisais... Avant, pour moi, c'était un peu comme boire après l'heure de fermeture...

— Et maintenant ? demanda Poirot.

— Je ferai tout ce que vous voudrez. Je... je parlerai aux autres... Je ne pense pas que le Dr Stoddart veuille encore m'adresser la parole...

— Bien au contraire. Tous les deux, nous sommes prêts à vous aider autant que nous le pourrons à faire un nouveau départ. Mais il est une chose indispensable. Il y a une personne à détruire sans rémission. Seules vos sœurs et vous pouvez le faire. Seuls vos témoignages prouveront sa culpabilité.

— Vous voulez parler de... mon père ?

— Pas votre père, mademoiselle. Ne vous ai-je pas dit qu'Hercule Poirot savait tout ? On n'a eu aucun mal à reconnaître votre photographie. Vous êtes la Sheila Kelly qui a été envoyée en maison de redressement pour vol à l'étalage, il y a quelques années de cela. Quand vous en êtes sortie, un homme qui se fait appeler le général Grant vous a offert de devenir « sa fille ». Beaucoup d'argent, beaucoup de distractions. Une seule chose à faire en contrepartie, introduire la « neige » chez vos amis en prétendant que quelqu'un d'autre vous l'avait donnée. Vos « sœurs » étaient dans le même cas que vous. Allez, mademoiselle, cet homme doit être jugé et condamné. Après cela...

— Oui, après ?

— Vous serez consacrée au service des dieux...

Michael Stoddart regarda Poirot avec stupeur.

— Le général Grant ?

— Exactement, mon cher. Toute la mise en scène était un attrape-nigaud. Les bouddhas, les cuivres ciselés, le serviteur indien ! Et la goutte ! C'est démodé. Ce sont les très vieux messieurs qui en souffrent et non pas les pères de filles de dix-huit ans.

» Cependant, j'ai voulu en avoir le cœur net. En sortant, j'ai trébuché et j'ai heurté le pied malade. Ce monsieur était tellement bouleversé par ce que je lui avais dit qu'il ne s'en est même pas rendu compte !

» Tout de même, l'idée n'était pas mauvaise... général de l'armée des Indes... foie malade, caractère impossible, enfin toutes les caractéristiques bien connues du personnage... mais il s'installe dans un milieu beaucoup trop cher pour un officier à la retraite. Des gens riches partout, excellent terrain de chasse. Et qui irait suspecter quatre charmantes jeunes filles pleines d'entrain ? Qu'il arrive quelque chose et on les considère comme des victimes !

— Quelle idée aviez-vous en allant voir cette vieille crapule ? Désiriez-vous lui donner l'éveil ?

— Oui. Je voulais voir *ce qui allait arriver*. Je n'ai pas eu longtemps à attendre. Les jeunes filles avaient des ordres. Anthony Hawker, une de leurs victimes, devait servir de bouc émissaire. Sheila devait me parler de la gourde laissée dans le hall. Elle ne pouvait pas se décider à le faire. Mais l'autre fille l'a rappelée à l'ordre d'un « Sheila » impérieux.

Michael Stoddart se leva et se mit à arpenter la pièce de long en large.

— Je ne vais pas perdre cette petite de vue, dit-il. Je me suis toujours beaucoup intéressé aux causes de la délinquance juvénile. Quand on étudie la vie de famille de ces enfants, on découvre presque toujours que...

Poirot l'interrompit.

— Mon cher, j'éprouve le plus profond respect pour votre science. Je ne doute pas un instant que vous trouverez la preuve de vos théories en ce qui concerne miss Sheila Kelly.

— Pour les autres aussi.

— Peut-être. Cela se peut. Mais la seule dont je sois sûr est la petite Sheila... Vous l'apprivoiserez sans aucun doute ! En fait, elle vous mange déjà dans la main...

Michael Stoddart rougit violemment.

— Poirot, ne dites pas de bêtises...

LES TROUPEAUX DE GERYON
(The flock of Geryon)

— Je vous fais toutes mes excuses, monsieur Poirot, j'abuse de votre temps.

Anxieuse, miss Carnaby agrippa à deux mains la poignée de son sac. Elle semblait hors d'haleine, comme d'habitude.

— Vous vous souvenez de moi, n'est-ce pas ? s'inquiéta-t-elle.

— Pour moi, vous êtes restée la criminelle la plus habile que j'aie jamais rencontrée, répondit Poirot avec malice.

— Oh ! pourquoi dire une chose pareille ? Vous avez été tellement gentil avec moi. Nous parlons souvent de vous, Emily et moi, et si nous trouvons un article qui vous concerne, dans un journal, nous le découpons aussitôt et nous le collons dans un livre spécial.

— Merci mille fois. Et comment va ce cher Auguste ?

Miss Carnaby joignit les mains à l'évocation de son pékinois.

— Oh ! monsieur Poirot, il est plus intelligent que jamais. Il sait tout. L'autre jour, j'admirais un bébé dans sa poussette et, brusquement, j'ai senti une secousse. Auguste s'efforçait de couper sa laisse ! N'est-ce pas prodigieux ? Nous lui avons appris un nouveau truc. Nous lui disons : « Meurs pour Hercule Poirot ! » Et il fait le mort.

— J'ai l'impression qu'Auguste partage avec vous ces fameuses tendances criminelles dont nous parlions à l'instant.

Miss Carnaby ne rit pas, au contraire. Son aimable visage poupin s'assombrit.

— Monsieur Poirot, dit-elle d'une voix un peu étranglée, je suis extrêmement ennuyée.

— De quoi s'agit-il ? demanda le détective avec douceur.

— J'ai peur... réellement peur d'être irrécupérable ! Il me vient de telles idées !

— Quel genre d'idées ?

— Oh ! les plus extraordinaires ! Hier, par exemple, j'ai conçu un plan très habile pour cambrioler un bureau de poste. C'est venu comme ça, tout seul, sans que je l'aie le moins du monde cherché ! J'ai également mis sur pied un moyen astucieux de passer, en fraude, des marchandises prohibées... Je suis convaincue que cela marcherait.

— Je n'en doute pas. C'est en cela que vos idées sont dangereuses.

— Cela m'ennuie beaucoup, surtout si l'on songe à la façon dont j'ai été élevée. Sans doute est-ce dû au fait que j'ai beaucoup de loisirs à présent. J'ai quitté lady Hoggin et je suis engagée par une vieille dame pour lui faire la lecture et lui écrire ses lettres. Celles-ci sont vite rédigées et, dès que je commence à lire, ma vieille dame s'endort... alors mon esprit vagabonde. Mais j'ai lu récemment un ouvrage traduit de l'allemand qui traitait avec beaucoup de finesse des tendances criminelles. Il est facile, si j'ai bien compris, de *sublimer* ses impulsions. C'est pourquoi je suis venue vous voir !

— Ah ! oui ?

— Voyez-vous, à la réflexion, il ne s'agit pas tant chez moi de vice que de désir d'action ! Ma vie a malheureusement toujours été très terne. Pour être franche, je n'ai vraiment eu l'impression de *vivre* qu'au cours de cette affaire des pékinois. Je suis venue dans l'espoir qu'il me serait possible de... sublimer ce désir d'action en l'employant, si je puis m'exprimer ainsi, pour la bonne cause.

— Ah ! voilà, c'est en collègue que vous venez ?

Miss Carnaby rougit.

— C'est très présomptueux de ma part, je le sais. Mais vous avez été si bon...

Elle s'interrompit. Dans ses yeux bleus pâles on lisait une muette supplication.

— C'est une idée, dit lentement Poirot.

— Je ne suis pas intelligente. Mais j'ai... un très grand pouvoir de dissimulation. C'est indispensable pour une dame de compagnie qui veut conserver une place. Et j'ai remarqué aussi qu'on obtient d'assez bons résultats en paraissant plus stupide que nature.

Hercule Poirot rit.

— Mademoiselle, vous me ravissez.

— Oh ! quel homme merveilleux vous êtes ! Ainsi, je puis *espérer* ? J'ai fait un petit héritage — oh ! tout petit —, mais cela nous permet de vivre de façon très simple, ma sœur et moi, indépendamment de ce que je gagne.

— Il me faut réfléchir à l'emploi le plus judicieux de vos talents. Auriez-vous une idée, par hasard ?

— Monsieur Poirot, vous êtes certainement un lecteur de pensées. Une de mes amies m'inquiète et je voulais vous demander avis à son sujet. Peut-être jugerez-vous tout cela fantaisies de vieille fille ? On est tenté parfois d'exagérer peut-être et de voir une *intention* là où il n'y a que *coïncidence*.

— Cela m'étonnerait de votre part, mademoiselle. Dites-moi donc à quoi vous pensez ?

— Voilà, j'ai une amie. Une amie très chère bien que je ne l'aie pas vue beaucoup ces dernières années. Elle s'appelle Emmeline Clegg. Son mari est mort il y a relativement peu de temps, la laissant financièrement plus qu'à l'aise. Le décès de son mari l'a rendue très malheureuse. Elle s'est sentie très seule. Elle est, je le crains, un peu crédule. La religion peut être un grand secours... mais j'entends par là une religion orthodoxe.

— Vous voulez parler de l'Eglise grecque ?

Miss Carnaby parut choquée :

— Oh ! non, l'Eglise d'Angleterre ! Je n'approuve pas, mais *j'admets* le catholicisme... Non, je parlais de ces sectes qui apparaissent de temps à autre... elles exercent une sorte d'attrait émotionnel sur beaucoup d'esprits mais je doute qu'il y ait un sentiment réellement religieux en elles...

— Vous croyez votre amie victime d'une secte de ce genre ?

— Exactement ! J'en suis sûre. Il s'agit du Troupeau du Pasteur. Son quartier général est dans le Devonshire... une très jolie propriété au bord de la mer. Les adhérents s'y rendent pour ce qu'ils appellent une retraite. Cela dure quinze jours comprenant services religieux, rituels. Il y a trois grands festivals annuels : la Poussée du Pâturage, la Maturité du Pâturage et la Moisson du Pâturage.

— Ce qui est stupide, commenta Poirot, car on ne moissonne pas un pâturage.

— Tout est stupide, dit miss Carnaby, véhémente. Toute la secte gravite autour de celui qu'ils appellent le Grand Pasteur. Un certain Dr Andersen. Un homme très séduisant, doué de beaucoup de charme.

— Ce troupeau est-il composé surtout de femmes ?

— Pour les trois quarts au moins, il me semble. Quant aux hommes, ce sont des excentriques ! Le succès du mouvement dépend des femmes et ce sont elles qui fournissent les *fonds*.

— Ah ! nous y voilà. Vous croyez donc qu'il s'agit d'une escroquerie ?

— Franchement oui. J'ai lieu de m'inquiéter. Ma pauvre amie est tellement convaincue qu'elle vient de faire un testament léguant toute sa fortune à la secte.

— Cela lui a-t-il... été suggéré ?

— Non. L'idée vient d'elle. Le Grand Pasteur lui a montré une nouvelle façon de vivre... alors, tout ce qu'elle possède ira à la grande cause après sa mort. Mais ce n'est pas exactement cela qui m'inquiète...

— Quoi donc ?

— Parmi les dévotes figurent beaucoup de femmes riches. Au cours de l'année dernière, *trois* d'entre elles sont mortes.

— En laissant tout leur argent à la secte ?

— Oui.

— Leurs parents n'ont pas protesté ?

— Ce sont, voyez-vous, des femmes *seules* qui appartiennent à ce genre de mouvement. Des gens sans parents proches, sans amis... Bien sûr, rien ne m'autorise à formuler une accusation ! D'après les renseignements que j'ai recueillis, ces morts n'ont rien eu de suspect. L'une, je crois, a été provoquée par une mauvaise grippe qui avait dégénéré en pneumonie. Pour une autre, c'était un ulcère à l'estomac. Rien donc de suspect et les décès n'ont pas eu lieu au sanctuaire de Green Hills mais au domicile même des malades. Tout est parfaitement normal, je n'en doute pas, cependant... enfin, bref... je ne voudrais pas qu'il arrivât la même chose à Emmie.

Poirot réfléchissait en silence. Quand il parla, ce fut d'un ton très grave.

— Pouvez-vous vous procurer le nom et l'adresse des membres de cette secte morts récemment ? demanda-t-il.

— Bien sûr.

— Mademoiselle, vous avez, j'en suis sûr, beaucoup de courage et d'esprit de détermination. Vous savez également fort bien jouer la comédie. Etes-vous disposée à entreprendre une tâche qui peut être dangereuse ?

— Rien ne me plairait davantage !

— Je vous en avertis, s'il y a un risque, il sera énorme. Avons-nous affaire à de simples hurluberlus ou à des bandits ? Nous n'avons qu'un moyen de nous en assurer : que vous adhériez au Grand Troupeau. Il serait bon que vous grossissiez l'importance de l'héritage que vous venez de faire. Vous êtes riche et sans but défini. Vous discutez avec votre amie Emmeline au sujet de sa nouvelle religion. Vous cherchez à lui prouver que c'est une stupidité. Elle s'efforcera de vous convertir. Vous vous laissez persuader de vous rendre au sanctuaire de Green Hills. Là-bas, vous succombez à la puissance de persuasion et à l'influence magnétique du Dr Andersen. Je crois pouvoir m'en rapporter entièrement à vous.

Miss Carnaby sourit.

— Je pense m'en tirer.

— Alors, mon ami, qu'avez-vous glané comme renseignements pour moi ?

— Pas grand-chose, Poirot, répondit l'inspecteur Japp, le sourcil froncé. J'ai horreur de ces espèces de charlatans à cheveux longs, qui bourrent le crâne des femmes d'un tas de foutaises. Mais ce type a pris ses précautions. On ne peut rien relever contre lui.

— Mais avez-vous des détails sur ce Dr Andersen ?

— C'était un chimiste d'avenir mais il a été renvoyé de je ne sais quelle université allemande. Parce que sa mère était juive, paraît-il. Il a toujours montré une nette prédilection pour les mythes et les religions orientales. Il y consacre tout son temps libre et il a écrit bon nombre d'articles sur le sujet... Pour ma part, je n'y ai rien compris.

— Il se peut alors qu'il soit un fanatique bon teint ?

— Cela me paraît vraisemblable.

— En ce qui concerne les noms et les adresses que je vous ai donnés ?

— Rien, là non plus. Miss Everitt est morte des suites de colites aiguës. Rien de suspect, d'après son médecin. Mrs Lloyd a succombé à une broncho-pneumonie. Lady Western à la tuberculose. Elle en souffrait depuis de longues années... bien avant de rencontrer son charlatan. Miss Lee n'a pas résisté à la typhoïde attribuée à quelque salade qu'elle aurait mangée dans le nord de l'Angleterre. Trois d'entre elles sont tombées malades et sont mortes chez elles. Mrs Lloyd, elle, a rendu l'âme dans un hôtel du Midi de la France. A première vue, aucun de ces décès n'a un rapport quelconque avec le Grand Troupeau. Sans doute n'y a-t-il là qu'une simple coïncidence.

Hercule Poirot poussa un soupir.

— Et pourtant, mon cher, j'ai l'impression qu'il s'agit là du dixième des travaux d'Hercule et que cet Andersen n'est autre que le monstrueux Geryon que j'ai pour mission de détruire.

Japp lui lança un regard inquiet.

— Dites donc, Poirot, vous ne vous seriez pas adonné, vous aussi, à des lectures un peu bizarres, ces temps derniers ?

— Mes remarques, comme toujours, répondit Poirot avec dignité, sont marquées au coin du bon sens.

— Vous êtes bien capable de lancer une nouvelle religion avec, comme credo : « Nul n'est plus intelligent qu'Hercule Poirot. Amen ! »

— C'est ce sentiment de calme et de paix que je trouve absolument merveilleux, dit miss Carnaby avec un soupir d'extase.

— Je vous l'avais bien dit, fit remarquer Emmeline Clegg.

Les deux amies étaient assises au flanc d'une colline surplombant une mer d'un bleu profond. L'herbe était vert émeraude, la terre d'un beau rouge sombre. Le sanctuaire de Green Hills était situé sur un petit promontoire que seule une étroite bande de terre reliait au continent.

— La terre rouge..., murmura Mrs Clegg, la terre de gloire et de promesse où doit s'accomplir la triple destinée.

— Le Maître a dit de si belles choses au cours du service, hier soir ! soupira miss Carnaby.

— Attendez un peu le festival de ce soir. La Maturité du Pâturage !

— Je suis impatiente, je l'avoue.

— Vous trouverez l'expérience *merveilleuse*.

Miss Carnaby était arrivée la semaine précédente au sanctuaire de Green Hills. A son amie, elle avait dit : « Comment ! Emmie, une femme aussi intelligente que vous, etc. ».

A son premier entretien avec le Dr Andersen, elle avait tenu à mettre les choses au point.

— Mon père était clergyman de l'Eglise d'Angleterre et ma foi n'a jamais faibli. Je n'admets aucune doctrine païenne.

Son vis-à-vis, un homme de haute taille, aux cheveux dorés, lui avait souri d'une manière infiniment douce, indulgente.

— Chère mademoiselle, vous êtes l'amie de Mrs Clegg et bienvenue à ce titre. Mais, croyez-moi, nos doctrines n'ont rien de païen...

— Il est réellement très beau, confia miss Carnaby à son amie quand elle eut quitté le Maître.

— Oui, et d'un esprit si merveilleusement élevé !

Miss Carnaby avait senti de façon presque tangible l'influence de cet esprit supraterrestre. Elle se secoua. Elle n'était pas venue pour succomber à la fascination spirituelle ou autre du Grand Pasteur ! Pour conjurer le maléfice, elle fit appel au souvenir d'Hercule Poirot. Il lui parut soudain très lointain...

« Amy ! Souviens-toi pourquoi tu es ici ! » se gourmanda-t-elle.

Mais, au fur et à mesure du passage des jours, elle se surprit à subir avec volupté le charme de Green Hills. La paix, le calme, les mets simples mais exquis, la beauté des services et leurs cantiques d'amour, l'éloquence du Maître éveillant en chacun ce que l'humanité avait de beau, de noble... Tout contribuait à effacer, rejeter la hideur du monde quotidien...

Ce soir, le grand Festival d'Eté allait avoir lieu... Ce soir, Amy Carnaby serait initiée, deviendrait une des brebis du troupeau.

La cérémonie se déroula dans le bâtiment d'une

76

blancheur immaculée baptisé par les initiés le Bercail sacré. Les fidèles s'y assemblèrent juste avant le coucher du soleil. Ils portaient une sorte de chasuble en peau de mouton et étaient chaussés de sandales. Leurs bras étaient nus. Le Dr Andersen occupait une estrade au centre du Bercail. Il avait revêtu une robe verte et tenait à la main une houlette de berger en or. Avec ses cheveux et sa barbe dorés, ses yeux bleus, sa haute taille et son beau profil, il avait grande allure.

Il éleva sa houlette et un silence absolu s'établit.

— Où sont mes brebis ?

— Nous sommes là, ô Pasteur ! répondit la foule assemblée.

— Que la joie et la reconnaissance gonflent vos cœurs ! Ceci est la Fête de la Joie.

— La Fête de la Joie et nous sommes joyeux !

— Il ne sera plus de soucis pour vous, plus de peine. Tout est joie !

— Tout est joie...

— Combien le Pasteur a-t-il de têtes ?

— Trois têtes : une tête d'or, une tête d'argent et une tête d'airain retentissant.

— Combien le Pasteur a-t-il de corps ?

— Trois corps : un corps de chair, un corps de corruption et un corps de lumière.

— Comment serez-vous sacrés membres du troupeau ?

— Par le sacrement du sang !

— Y êtes-vous préparés ?

— Nous le sommes !

— Bandez vos yeux et tendez votre bras droit.

Dociles, les fidèles nouèrent sur leurs yeux l'écharpe verte apportée à cet effet. Miss Carnaby, comme les autres, tendit son bras nu.

Le Grand Pasteur passa dans les rangs. On entendit des cris légers de douleur ou d'extase.

« Grotesque ! se disait miss Carnaby. Cette hystérie

collective est déplorable. Je *dois* garder mon calme et observer les réactions des autres. Je ne veux pas subir l'influence générale... *Je ne le veux pas...* »

Le Grand Pasteur était arrivé à sa hauteur. Elle sentit qu'on lui prenait le bras, éprouva une petite douleur brusque comme la piqûre d'une aiguille.

— *Le sacrement du sang porteur de joie*, murmura l'officiant.

Il s'éloigna.

Puis un ordre retentit.

— Dévoilez-vous et jouissez des plaisirs de l'esprit !

Miss Carnaby regarda autour d'elle et se joignit à la procession qui quittait le Bercail. Elle se sentait légère, heureuse. Pourquoi avait-elle jamais pensé être une vieille femme inutile et mal aimée ? La vie était merveilleuse... Elle-même était merveilleuse ! Elle se laissa tomber sur une banquette de gazon, regarda les autres fidèles qui, soudain, lui parurent devenus immenses.

« On dirait des arbres qui marchent... »

Elle leva la main d'un geste autoritaire. Elle se sentait de taille à commander au monde. César, Napoléon, Hitler ? Pauvres petites créatures misérables ! Qu'étaient-ils à côté d'Amy Carnaby ? Demain, elle réglerait la Paix mondiale, instituerait la Fraternité internationale. Il n'y aurait plus de guerres, de pauvreté, de maladies.

Elle, Amy Carnaby, y veillerait !

Mais inutile de se précipiter. Le temps était infini. Miss Carnaby avait les membres lourds mais l'esprit d'une délicieuse légèreté. Elle s'endormit. Mais, tout en dormant, elle poursuivit l'élaboration de ses projets grandioses... Des espaces verts... De vastes immeubles... Un monde nouveau, merveilleux...

Peu à peu ce monde nouveau-né vacilla sur sa base, sa créatrice bâilla, étira ses membres engourdis.

Qu'était-il arrivé depuis la veille ? Elle avait rêvé...

La lune brillait. Miss Carnaby pouvait voir le cadran de sa montre. Les aiguilles indiquaient 10 heures moins 10. Le soleil, elle le savait, s'était couché à 8 h 10. Une heure trente-cinq auparavant seulement ? Impossible ! Et cependant...

« C'est fantastique ! »

— Vous devez suivre mes instructions avec beaucoup d'attention, dit Hercule Poirot.

— Oh ! vous pouvez vous fier à moi.

— Vous avez parlé de votre intention de faire un don à la secte ?

— Oui, j'ai dit au Maître... pardon, au Dr Andersen, à quel point tout avait été si révélateur, si émouvant pour moi. Je n'ai pas éprouvé de mal à parler... J'avais l'impression d'être sincère. Le Dr Andersen a beaucoup de charme, il exerce une sorte de magnétisme.

— Je m'en rends compte !

— L'argent ne l'intéresse pas, c'est visible. « Donnez ce que vous pourrez, m'a-t-il répondu avec ce merveilleux sourire dont il a le secret. Si vous ne me donnez rien, peu importe. Vous faites partie du Troupeau, de toute façon. — Oh ! ai-je répondu, je le puis ! Une parente éloignée vient de me léguer une très grosse somme. Je ne pourrai y toucher qu'une fois les diverses formalités réglées mais je n'ai aucun proche parent et je suis décidée à faire un testament en faveur de la congrégation. »

— Et il a accepté votre offre avec grâce ?

— Il l'a prise de façon très détachée. Je ne mourrai pas avant de longues années, m'a-t-il dit, et une belle vie comblée de joies spirituelles m'attendait. Il parle vraiment de façon émouvante.

— Vous avez mentionné votre état de santé ? demanda Poirot d'un ton sec.

— Oui. Je lui ai dit que j'avais eu de sérieux troubles pulmonaires qu'un séjour en sanatorium paraissait avoir guéris.

— Parfait !

— Je ne comprends pas très bien pourquoi je dois me déclarer poitrinaire alors que j'ai des poumons en parfait état ?

— Dites-vous bien que c'est nécessaire. Vous avez parlé de votre amie ?

— Oui. Je lui ai confié — sous le sceau du secret — que la chère Emmeline verrait la fortune héritée de son mari se gonfler de celle d'une tante qui lui était très attachée.

— Espérons que cela mettra Mrs Clegg hors de danger pendant quelque temps !

— Oh ! monsieur Poirot, vous croyez réellement qu'il y a quelque chose de louche là-dedans ?

— C'est ce que je m'efforce de découvrir. Avez-vous rencontré un certain Mr Cole, au sanctuaire ?

— Oui, il y avait quelqu'un de ce nom lors de mon dernier séjour. Un homme très bizarre. Il porte des shorts vert pré et ne mange que des choux. C'est un ardent croyant.

— Eh bien ! nous progressons. Je vous félicite pour le travail accompli... Tout est prêt, à présent, pour le Festival d'Automne.

— Miss Carnaby, un instant s'il vous plaît. (Mr Cole se cramponnait à elle, les yeux brillants de fièvre.) J'ai eu une vision... Il faut que je vous en parle !

Miss Carnaby soupira. Mr Cole et ses visions lui faisaient peur. Parfois, elle avait l'impression qu'il était fou.

Mr Cole, les yeux étincelants, les lèvres tremblantes, commença son récit d'une voix précipitée.

— Je méditais, je réfléchissais sur la plénitude de la vie, sur la joie suprême de l'immuabilité et *j'ai vu*...

J'ai *vu* le prophète Elie descendre des cieux dans un char de feu.

Miss Carnaby poussa un soupir de soulagement. La dernière « vision » de Cole l'avait fait assister à un mariage rituel entre un dieu et une déesse chaldéens et elle avait dû en subir le récit. Elle préférait Elie...

— En dessous, poursuivit Cole, on avait dressé par centaines les autels de Baal. Une voix me cria : « Regarde ! Regarde et témoigne de ce que tu auras vu !... Sur les autels, prêtes au sacrifice, des jeunes vierges, belles et nues... »

Il y eut un petit claquement de lèvres et miss Carnaby rougit.

— Les prêtres levèrent leurs couteaux, mutilèrent leurs victimes.

Miss Carnaby s'enfuit. Elle se réfugia auprès de Lipscomb, l'homme qui occupait la loge donnant accès à la propriété de Green Hills. Elle s'attacha à ses pas, lui parlant d'une broche qu'elle aurait perdue. D'un naturel peu sociable, il grommela que ce n'était pas son affaire et chercha à se débarrasser d'elle. Mais elle ne le lâcha qu'en apercevant le Maître lui-même qui sortait du Bercail. Enhardie par son sourire lénifiant, elle lui parla de Cole. « Etait-il vraiment... tout à fait... »

Le Maître lui posa une main sur l'épaule.

— Chassez votre peur. Le parfait amour ne connaît pas la peur...

— Mais j'ai l'impression que Mr Cole est bel et bien fou à lier. Ces visions qu'il a...

— Il ne voit encore qu'imparfaitement à travers les verres de sa nature charnelle. Mais le jour viendra où il verra l'Esprit, face à face.

Miss Carnaby se sentit honteuse.

— Mais, osa-t-elle cependant, Lipscomb a-t-il besoin d'être aussi grossier ?

De nouveau, le Maître l'éclaira de son radieux sourire.

— Lipscomb est un chien de garde fidèle. C'est une âme un peu rustre... primitive... mais absolument fidèle.

Puis il s'éloigna. Miss Carnaby le vit rejoindre Mr Cole, s'arrêter, lui remettre la main sur l'épaule. Puisse l'influence du Maître atténuer le réalisme de ses visions futures !

De toute façon il ne restait qu'une semaine avant le Festival d'Automne.

Au cours de l'après-midi qui précéda le festival, miss Carnaby rencontra Hercule Poirot dans un petit salon de thé à Newton Woodbury. La vieille demoiselle était encore plus rouge et agitée que d'habitude.

Poirot lui posa plusieurs questions auxquelles elle répondit par monosyllabes.

— Combien de gens assisteront-ils au festival ? demanda-t-il enfin.

— Cent vingt, je crains. Emmeline y sera, bien sûr, et Mr Cole. Il a été invraisemblable, ces temps derniers. Il a des visions. Il m'en a décrit quelques-unes. Je m'en serais bien dispensée. Je crains qu'il ne soit fou. Puis il y aura une vingtaine de nouveaux membres.

— Bien. Vous savez ce que vous avez à faire ?

Miss Carnaby ne répondit pas aussitôt et, lorsqu'elle le fit, ce fut d'une voix étrange.

— Je sais ce que vous m'avez dit, monsieur Poirot...

— Très bien !

— *Mais je ne le ferai pas*, ajouta-t-elle clairement et distinctement.

Hercule Poirot la regarda avec stupéfaction. Sa compagne se leva brusquement.

— Vous m'avez envoyée ici pour espionner le Dr Andersen ! dit-elle sur un ton aigu. Vous le soupçonniez du pire. Mais c'est un homme merveilleux. Je crois en lui de tout mon cœur ! Et je ne suis plus disposée à accomplir votre sale besogne, monsieur. Je suis l'une des brebis du Pasteur. J'appartiens au Maître. Et je paierai mon thé moi-même !

Elle jeta de la monnaie sur la table et sortit en coup de vent du salon de thé.

— Nom de nom ! marmonna Hercule Poirot.

La serveuse dut s'y reprendre à deux fois pour qu'il comprenne qu'elle lui tendait la note. Puis il rencontra le regard étonné d'un homme à l'aspect maussade. Il rougit, régla l'addition et sortit.

Son cerveau travaillait furieusement.

Une fois encore les brebis étaient assemblées dans le Bercail sacré. On avait psalmodié questions et réponses.

— Etes-vous préparés pour le sacrement ?

— Nous le sommes !

— Bandez vos yeux et tendez votre bras droit.

Le Grand Pasteur, resplendissant dans sa robe verte, descendit de son estrade. Le visionnaire mangeur de choux, Mr Cole, voisin de miss Carnaby, émit une petite exclamation d'extase.

Le Grand Pasteur s'approcha de la vieille demoiselle, lui prit le bras.

— *Non ! Pas de ça !*

Paroles incroyables, sans précédent. Un juron, un grondement de colère. On se dévoila... pour assister à une scène inqualifiable. Le Grand Maître qui se débattait sous l'étreinte de Mr Cole aidé d'autres fidèles vêtus de peaux de mouton.

— Et j'ai un mandat d'arrêt à votre nom, disait Mr Cole. Je vous préviens que tout ce que vous direz pourra être retenu contre vous.

Des silhouettes étranges se profilaient au seuil du Bercail sacré, des agents en tenue !

— C'est la police ! cria quelqu'un. On enlève le Maître !

La terreur, l'horreur régnaient... Pour tous, le Pasteur était un martyr, souffrant, comme les grands prophètes avant lui, de la persécution d'un monde ignorant...

Pendant ce temps-là, l'inspecteur Cole enveloppait avec soin la seringue hypodermique qui avait échappé aux doigts du Grand Pasteur.

Poirot serra chaleureusement la main de miss Carnaby et lui présenta l'inspecteur Japp.

— Ma brave collègue !

— Travail de première classe, mademoiselle, dit Japp. Sans vous, nous ne pouvions rien faire.

— Mon Dieu ! C'est tellement gentil à vous. Mais, vous savez que j'étais près de trouver ça agréable. Il m'a semblé parfois être une de ces vieilles folles ! J'ai vécu un moment terrible dans le salon de thé. Je ne savais pas quoi faire. J'ai suivi l'inspiration du moment.

— Vous avez été magnifique, dit Poirot avec chaleur. Un instant, je me suis demandé lequel de nous deux avait perdu la raison. J'ai cru, quelques secondes durant, à votre sincérité.

— J'ai éprouvé un tel choc quand, dans la glace, j'ai vu ce Lipscomb assis derrière moi. Je ne sais pas encore si c'était par hasard ou s'il m'avait suivie. Je vous le répète, j'ai suivi mon inspiration en me disant que vous comprendriez.

Poirot sourit.

— J'ai compris. C'était la seule personne assez proche de nous pour avoir pu entendre notre conversation et, en sortant, je me suis arrangé pour le faire suivre. Quand j'ai su qu'il s'était rendu droit au sanctuaire, j'ai su que vous ne m'aviez pas laissé tomber... mais j'ai eu peur que le danger ait augmenté pour vous.

— Etais-je réellement en danger ? Qu'y avait-il dans la seringue ?

— Dois-je le dire ou bien vous en chargez-vous ? demanda Japp.

— Mademoiselle, commença Poirot, ce Dr Andersen avait mis sur pied une remarquable organisation de meurtres scientifiques. Il a consacré la majeure partie de sa vie aux recherches bactériologiques. Il possède à Sheffield, sous un autre nom, un laboratoire où il s'adonnait à la culture de bacilles variés. Il injectait aux fidèles une dose légère, mais suffisante, de *cannabis indica* ou haschisch qui procure une impression de joie, la joie de l'esprit promise à ses fidèles.

— Sensation absolument remarquable, reconnut miss Carnaby.

— Ce n'était là qu'un aspect de son activité. Grâce à une forte personnalité et aux réactions provoquées par sa drogue, il obtenait une hystérie des masses fort utile à ses desseins. Mais des femmes seules, dans leur ferveur et leur gratitude, léguaient leurs biens au culte. Elles mouraient. De mort naturelle, apparemment, et chez elles. Je vous ferai grâce des détails techniques. Sachez seulement que l'on peut cultiver certaines bactéries et les introduire dans un organisme qu'elles détruisent : le bacille de la typhoïde, le pneumocoque. La tuberculine injectée à un sujet sain sera sans danger pour lui mais réveillera de vieilles lésions pulmonaires chez un ancien malade... qui mourra chez lui sans étonner son médecin. Vous avez dit avoir eu une tuberculose guérie. La seringue contenait de la tuberculine. Ayant les poumons en bon état, cela ne vous aurait pas fait de mal. Mais j'étais terrifié à l'idée qu'il ait pu choisir un autre germe à vous inoculer. Cependant, j'ai respecté votre courage et je vous ai laissée courir le risque...

— Aucune importance ! J'adore courir des risques. Je n'ai peur que des taureaux. Mais, avez-vous récolté assez de preuves pour faire condamner ce monstre ?

— Oh ! plus qu'il n'en faut, répondit Japp. Nous avons mis la main sur son laboratoire et tout le fourbi !

— Il a sans doute commis une série impressionnante de crimes, dit Poirot. Il n'a nullement été renvoyé d'une université allemande parce qu'il était de mère juive. C'était une invention pour attirer la sympathie.

Miss Carnaby poussa un profond soupir.

— Qu'y a-t-il ?

— Je songeais à un rêve merveilleux que j'ai fait au cours du premier festival... grâce au haschisch, je suppose. J'arrangeais le monde de façon si merveilleuse ! Plus de guerres, de maladies, de laideurs, de pauvreté...

— Ça devait être bien agréable comme rêve, dit Japp avec envie.

Brusquement, miss Carnaby se secoua.

— Je dois retourner chez moi. Emily s'est beaucoup inquiétée. Et il paraît que j'ai beaucoup manqué à ce cher Auguste.

— Sans doute craignait-il que, comme lui, vous n'en veniez à mourir pour Hercule Poirot !

LES POMMES D'OR DU JARDIN
DES HESPÉRIDES
(The apples of the Hesperides)

Il suffit à Hercule Poirot de voir le large front, la bouche volontaire, le menton musclé et les yeux au regard perçant de son vis-à-vis pour comprendre comment Emery Power était devenu le puissant financier qu'il était.

Les longs doigts de ses mains remarquablement proportionnées disaient aussi, avec éloquence, pourquoi leur propriétaire avait acquis un tel renom, des deux côtés de l'Atlantique, comme collectionneur et grand connaisseur d'œuvres d'art. Dans l'art, il aimait aussi l'histoire : il ne lui suffisait pas qu'un objet fût beau, il lui fallait aussi qu'il soit porteur de traditions.

Il avait une voix posée, sans grande ampleur, mais qui retenait l'attention.

— Vous n'acceptez plus de résoudre beaucoup d'énigmes, à présent, disait-il. Mais vous accepterez celle-ci, je le pense.

— Elle est d'importance, sans doute ?

— Pour moi, certes.

Poirot, la tête légèrement penchée sur le côté, regardait Emery Power d'un air interrogateur, sans rien dire.

— Il s'agit de retrouver une œuvre d'art. Pour être exact, un gobelet d'or ciselé, d'époque Renaissance. On dit qu'il a appartenu au pape Alexandre VI, Rodrigue Borgia. Il y offrait, parfois, à boire à un invité favorisé. L'invité mourait.

— Charmante coutume.

— Ce gobelet a eu une histoire tumultueuse. On l'a volé à plusieurs reprises. On a tué pour s'en emparer. Il a laissé un sillage sanglant derrière lui.

— Pour sa valeur intrinsèque ou pour d'autres raisons ?

— Il a, certes, beaucoup de valeur. Il est travaillé de façon exquise ; ce serait une œuvre de Benvenuto Cellini. La sculpture représente un arbre autour duquel s'enroule un serpent constellé de pierres précieuses, et les pommes de l'arbre sont de véritables émeraudes.

Poirot parut s'animer.

— Des pommes, murmura-t-il.

— Les pierres sont fort belles mais la valeur réelle de la coupe tient surtout à son histoire. Le marquis de San Veratrino l'a mise en vente en 1929. Les collectionneurs se la sont immédiatement disputée. Mais j'ai réussi à l'acquérir pour trente mille livres, au cours de l'époque.

— Jolie somme !

— Quand je veux réellement quelque chose, je suis disposé à payer, monsieur Poirot.

— Peut-être connaissez-vous le proverbe espagnol : *Prends ce que tu veux.. et paye, dit Dieu !*

Le financier fronça les sourcils et ses yeux se durcirent l'espace d'un instant.

— Vous vous adonnez à la philosophie ? demanda-t-il d'un ton froid.

— Je suis arrivé à l'âge de la réflexion.

— Je n'en doute pas. Mais ce n'est pas elle qui me rendra mon gobelet. J'imagine que l'action serait préférable.

— Quelle erreur ! Et combien de gens la commettent ! Mais, je vous demande mille fois pardon. Nous avons changé de sujet. Vous disiez avoir acheté cette coupe au marquis de San Veratrino ?

— Oui, mais ce que je ne vous ai pas dit, c'est qu'elle m'a été volée avant qu'elle soit en ma possession.

— Comment cela s'est-il produit ?

— On a cambriolé le palais du marquis au cours de la nuit qui a suivi la vente et on a emporté — avec le gobelet — une dizaine d'objets de très grande valeur.

— Quelles mesures ont-elles été prises ?

Power haussa les épaules.

— La police s'est, bien entendu, occupée de l'affaire. On a arrêté et jugé deux des voleurs qui avaient fait le coup : Dublay, un Français, et Ricovetti, un Italien. Certains des objets volés étaient encore en leur possession.

— Sauf le gobelet de Borgia ?

— Sauf lui. Pour autant que la police ait pu se renseigner, les deux voleurs arrêtés avaient un autre complice, un Irlandais, Patrick Casey. Il avait une belle réputation de monte-en-l'air. C'est lui qui se serait chargé du vol. Dublay, le cerveau, préparait les coups ; Ricovetti conduisait la voiture et attendait livraison des objets volés.

— Ceux-ci ont-ils été partagés entre les trois hommes ?

— C'est possible. En tout cas, on n'a retrouvé que les moins précieux. Les pièces les plus connues ont sans doute été rapidement passées en fraude à l'étranger.

— Qu'est devenu ce Casey ? N'a-t-il jamais été jugé ?

— Pas dans le sens que vous prêtez à ce mot. Il n'était plus jeune. Ses muscles avaient perdu de leur élasticité. Quinze jours plus tard, il tombait d'un cinquième étage. Il a été tué sur le coup.

— Où cela ?

— A Paris. Dans une tentative de cambriolage de Duvauglier, le banquier.

— Et on n'a jamais revu le gobelet ?

— Exactement.

— On ne l'a jamais mis en vente nulle part ?

— Non, j'en suis à peu près certain. Non seulement la police mais trois détectives privés le recherchent.

— Et l'argent que vous aviez versé pour l'acquérir ?

— L'objet ayant été volé sous son toit, le marquis a offert de me rembourser.

— Mais vous n'avez pas accepté ?

— Non.

— Pourquoi cela ?

— Parce que je le préfère ainsi.

— Voulez-vous dire par là que, si l'on retrouve le gobelet, il vous revient de droit ?

— Exactement.

— Mais que cachait cette attitude ?

Power sourit.

— Vous me comprenez, je le vois. Eh bien, c'est simple. *Je savais qui était en possession du gobelet.*

— Vous m'intéressez. Et de qui s'agit-il ?

— De sir Reuben Rosenthal. Non seulement c'est un collectionneur comme moi, mais c'était aussi, à l'époque, un ennemi personnel. Nous étions rivaux dans beaucoup d'affaires... et je gagnais. Notre animosité a atteint son point culminant avec le gobelet. Nous étions tous les deux déterminés à l'avoir. Nous y avions mis notre point d'honneur. Nos représentants enchérissaient l'un contre l'autre, à la vente.

— Et c'est le vôtre qui s'est assuré la possession du trésor ?

— Pas précisément. J'avais pris la précaution de m'assurer un deuxième agent, officiellement celui d'un homme d'affaires de Paris. Ni l'un ni l'autre nous n'aurions voulu céder, vous comprenez, mais permettre à un tiers d'acquérir la coupe en se réservant la possibilité d'approcher ce tiers aussitôt après, c'était différent.

— Une petite déception.

— Exactement.

— Mais sir Reuben a découvert qu'on l'avait joué, et comment ?

Power sourit de façon très éloquente.

— Selon vous, continua Poirot, sir Reuben, déterminé à ne pas s'avouer battu, a engagé des voleurs ?

Emery Power leva une main dans un geste de protestation polie.

— Oh non ! Pourquoi être si précis ! Sir Reuben a acquis, peu de temps après, un gobelet Renaissance de provenance indéterminée...

— Alors que la police en avait fait publier partout la description ?

— Le gobelet n'avait pas besoin d'être exposé à la vue de tous.

— Vous croyez que sir Reuben se sera contenté de savoir qu'il possédait le gobelet.

— Oui. D'autre part, si j'avais accepté l'offre du marquis, sir Reuben aurait pu, plus tard, conclure un arrangement direct avec lui et, de ce fait, acquérir légalement le gobelet. Mais, en en restant le propriétaire, je gardais des possibilités de rentrer en possession de mon bien.

— C'est-à-dire que vous pouviez vous arranger pour le faire voler à sir Reuben ?

— Pas *voler*, monsieur Poirot. Je n'aurais fait que recouvrer ce qui m'appartenait.

— Mais vous n'y êtes pas parvenu ?

— Pour une excellente raison. Rosenthal n'a jamais eu le gobelet en sa possession !

— Comment le savez-vous ?

— Dernièrement, il y a eu fusion de sociétés pétrolières. A présent, les intérêts de Rosenthal et les miens sont les mêmes. Nous ne sommes plus ennemis, mais alliés. Je lui ai parlé nettement de la question et il m'a assuré aussitôt n'avoir jamais eu l'objet.

— Et vous le croyez ?

— Oui.

— Ainsi, pendant près de dix ans, vous avez suivi une fausse piste ?

— Pas autre chose, avoua le financier avec amertume.

— Et, maintenant, tout est à recommencer. Et je suis le limier qui doit vous remettre sur la bonne piste ? On l'a beaucoup piétinée depuis...

— Si l'affaire avait été facile, je ne vous aurais pas demandé de venir, dit Power sans aménité. Evidemment, si vous la jugez impossible...

Il avait su trouver le point sensible. Poirot réagit aussitôt. Il se redressa et répondit sèchement :

— Le mot *impossible* n'existe pas pour moi, monsieur ! Je me demande seulement si l'affaire m'intéresse au point de m'en charger.

— Elle a son intérêt : vous fixerez le montant de vos honoraires.

— Vous tenez réellement *tant que cela* à retrouver cette œuvre d'art ? C'est impossible !

— Tout comme vous, je n'accepte pas la défaite.

— Oui... Dans ce cas... je comprends.

L'inspecteur Wagstaffe manifesta son intérêt.

— Le gobelet Veratrino ? Mais oui, je me souviens parfaitement. Je parle un peu l'italien, on m'a expédié là-bas et j'ai tenu un conseil de guerre avec les macaronis. On n'a jamais retrouvé l'objet.

— Pourquoi, à votre avis ? Une vente privée ?

— J'en doute... Evidemment, c'est dans l'ordre des choses possibles mais, à mon avis, c'est beaucoup plus simple que ça. On a caché le gobelet en question... et le seul homme qui savait où est mort.

— Vous voulez parler de Casey ?

— Oui. Il peut l'avoir planqué quelque part en Italie, à moins qu'il ait réussi à le sortir du pays. Mais il l'a bel et bien caché et personne n'y a touché depuis.

— Quelle était cette histoire de perles coulées dans du plâtre ? Le « buste de Napoléon » ? Oui... Mais, en l'occurrence, il s'agit d'un gobelet massif plus difficile à dissimuler que quelques perles.

— Oh ! ce n'est pas impossible. Sous un parquet, peut-être...

— Casey possédait une maison ?

— Oui... A Liverpool. (L'inspecteur sourit.) Le gobelet ne se trouvait pas sous le parquet. Nous nous en sommes assurés.

— Qu'est devenue sa famille ?

— Sa femme était très convenable — tuberculeuse, hélas ! Elle réprouvait la façon de vivre de son mari mais, d'esprit très religieux, catholique pratiquante, elle ne voulait pas le quitter. Elle est morte il y a quelques années. Sa fille lui ressemblait... Elle s'est faite religieuse. Le fils a fait sa vie en Amérique, lui.

— Se peut-il que le fils de Casey ait connu l'emplacement de la cachette ?

— Je ne crois pas. Le gobelet serait revenu sur le marché.

— Peut-être l'a-t-on fait fondre ?

— Ça, c'est fort possible. Mais je ne le crois tout de même pas. L'objet a surtout une valeur de collection et, avec les collectionneurs, il se passe des trucs dont vous seriez surpris ! Ces types-là sont dépourvus de sens moral.

— Et les deux autres voleurs ?

— Ricovetti et Dublay ont écopé le maximum. Ils doivent être libérés maintenant.

— Dublay est français ?

— Oui. C'était le cerveau de la bande.

— Celle-ci comptait-elle d'autres membres ?

— Une fille, Kate la Rouge. Elle se faisait engager comme femme de chambre, repérait l'endroit où l'on mettait les objets de valeur et préparait le coup pour les autres. Elle a dû partir en Australie après la dissolution de la bande.

— Quelqu'un d'autre ?

— Un certain Yougonian. Constantinople est son quartier général mais il a une boutique à Paris. On n'a rien pu prouver contre lui. Mais on le tient à l'œil.

Poirot poussa un soupir en relisant les notes inscrites sur son calepin : Amérique, Australie, Italie, France, Turquie...

— Je vais mettre une ceinture autour de la terre, murmura-t-il.

— Pardon ?

— Je disais qu'un tour du monde me semble indiqué.

Hercule Poirot avait pour habitude de discuter de ses affaires avec son valet de chambre, le précieux Georges.

— Georges, si vous vous trouviez dans l'obligation de mener une enquête dans cinq parties différentes du monde, comment vous y prendriez-vous ?

— On dit les transports aériens très rapides, monsieur. Mais il paraît que cela donne mal au cœur. Je ne saurais me prononcer.

— Qu'aurait fait Hercule ?

— Le coureur cycliste, monsieur ?

— Ou plutôt, poursuivit Poirot, *qu'a-t-il fait ?* Il a beaucoup voyagé mais, en fin de compte, il s'est vu contraint d'obtenir des renseignements de Prométhée, prétendent les uns, de Nérée affirment les autres.

— Je n'ai jamais entendu parler de ces messieurs. S'occupent-ils d'agences de voyages, monsieur ?

Hercule Poirot se berçait au son de sa propre voix.

— Pour mon client, Emery Power, une seule chose compte : l'action. Mais il ne sert de rien de dépenser de l'énergie pour une action inutile. Ne jamais faire soi-même ce qu'un autre peut faire à votre place... surtout quand on n'a pas à regarder à la dépense !

Il se leva, sortit un dossier du classeur, en tira une fiche *Détectives* (de confiance).

— Le moderne Prométhée, murmura-t-il. Georges, soyez assez aimable pour inscrire ces noms, je vous prie : Messrs Hankerton, New York ; Messrs

Laden et Bosher, Sydney ; Signor Giovanni Mezzi, Rome ; M. Nahum, Constantinople. MM. Roget et Franconard, Paris.

Il attendit que Georges eût terminé.

— Bon, à présent, cherchez-moi donc l'heure des trains pour Liverpool.

— Bien, monsieur. Monsieur va à Liverpool ?

— Je le crains. Il se peut même que je doive aller plus loin. Mais plus tard.

Trois mois plus tard, debout sur un promontoire rocheux, Hercule Poirot contemplait l'Océan. Des mouettes s'élevaient puis se laissaient retomber en poussant de longues plaintes. L'air était doux et humide. Hercule Poirot avait l'impression — commune à ceux qui venaient pour la première fois à Inishgowlan — d'être arrivé au bout du monde. Jamais encore il ne s'était imaginé site plus retiré, désolé, abandonné de tout. Mais l'endroit n'était pas dénué de beauté. Une beauté mélancolique, vestige et gardienne d'un passé étrange. Ici, dans l'ouest de l'Irlande, jamais les soldats romains n'étaient venus, jamais ils n'y avaient construit de camp fortifié, tracé de route bien pavée. Dans ce pays, l'ordre courant des choses était resté inconnu.

Hercule Poirot abaissa le regard sur le bout de ses chaussures vernies et soupira. Il se sentait perdu, très seul. Ici, on ignorait les règles selon lesquelles il avait l'habitude de vivre.

Quelque part au-delà de l'horizon se trouvaient les îles fortunées, le pays de jouvence...

Tout près de lui une cloche tinta. Ce son, il le comprenait. Il lui était familier depuis sa prime jeunesse.

Le charme était rompu. D'un pas vif, il se mit en route. Au bout de dix minutes de marche, il se trouva face à un haut mur que perçait une porte cloutée de fer. Hercule Poirot s'en approcha, souleva le heurtoir et le laissa retomber. Puis, avec précaution, il tira sur une chaîne rouillée qui ébranla une clochette au timbre grêle.

Un visage s'encadra dans un guichet repoussé dans la porte. L'expression en était soupçonneuse et la lèvre supérieure s'adornait d'une moustache. Mais la voix était celle d'une femme. D'une femme formidable, selon Hercule Poirot à qui il fut demandé ce qu'il désirait.

— Est-ce bien là le couvent de Sainte-Marie-de-tous-les-Anges ?

— Et que voulez-vous que ce soit ? rétorqua la femme formidable avec humeur.

Hercule Poirot ne tenta pas de répondre à cette question perfide.

— J'aimerais parler à la mère supérieure, confia-t-il au dragon.

Celui-ci hésita puis se rendit. Il y eut un bruit de barres que l'on repousse. La porte s'ouvrit et l'on conduisit le détective dans la petite pièce nue où l'on recevait les visiteurs du couvent.

Puis la religieuse parut, un chapelet dansant à sa ceinture.

Hercule Poirot était catholique et l'atmosphère de l'endroit ne le surprenait pas.

— Je vous demande de m'excuser, ma mère, si je vous dérange, mais vous avez parmi vos filles une religieuse qui, dans le monde, s'appelait Kate Casey ?

La mère supérieure inclina la tête.

— C'est exact. Sœur Marie-Ursule, en religion.

— Sœur Marie-Ursule serait en mesure de m'aider. Elle possède des renseignements très importants pour moi.

La mère supérieure secoua la tête, le visage impassible.

— Sœur Marie-Ursule ne peut pas vous aider, dit-elle d'une voix très calme.

— Mais, je vous assure...

— Sœur Marie-Ursule est morte il y a deux mois.

Dans le bar de l'hôtel de Jimmy Donovan, Hercule Poirot occupait un siège dépourvu de confort et appuyé contre le mur. L'hôtel ne correspondait nullement à l'idée qu'il se faisait d'un établissement de ce genre. Les ressorts de son lit étaient cassés, de même que deux des carreaux de la fenêtre. L'eau chaude qu'on lui avait montée était tiède et le repas qu'il avait absorbé avait provoqué de curieuses et pénibles sensations au niveau de ses intestins.

Il y avait cinq hommes dans le bar et ils parlaient tous politique. Hercule Poirot les comprenait à peine mais s'en souciait peu.

Il se retourna pour voir l'un des consommateurs installé à côté de lui. Il différait un peu des autres et offrait toutes les caractéristiques du citadin miteux.

— Croyez-moi, monsieur, dit-il avec dignité, Pegeen's Pride n'a pas une chance... Finira pas la course. Combien pariez-vous ? Savez-vous qui je suis ? Atlas, parfaitement, Atlas du *Soleil de Dublin*, comme je vous le dis... J'ai fait rien que les gagnants toute la saison... Est-ce que j'ai pas donné Larry's Girl ? A vingt-cinq contre un... Ouais, vingt-cinq contre un. Suivez Atlas, vous pouvez pas perdre.

Hercule Poirot le regardait avec une attention presque respectueuse.

— Mon Dieu, dit-il, c'est un présage !

Et sa voix tremblait.

Quelques heures avaient passé. De temps à autre la lune, coquette, apparaissait derrière un nuage pour disparaître aussitôt. Poirot et son nouvel ami avaient parcouru plusieurs kilomètres. Le détective boitait.

Peut-être, après tout, les chaussures vernies n'étaient-elles pas absolument indiquées pour faire des excursions en pleine campagne, sur un sentier grossièrement empierré...

— Dites donc, fit remarquer son compagnon, vous êtes sûr que M. l'abbé ne dira rien ? Je ne tiens pas à avoir un péché mortel sur la conscience, moi !

— Vous ne faites que rendre à César ce qui appartient à César, répondit Poirot avec assurance.

Ils étaient arrivés au pied du mur du couvent. Atlas gémit, il se sentait « vidé ».

Le détective fit montre d'autorité.

— Du calme ! Ce n'est pas le monde que vous aurez à supporter mais seulement Hercule Poirot !

Atlas plia avec soin deux beaux billets de cinq livres.

— Peut-être que demain, je ne me souviendrai plus de la façon dont je les ai gagnées, dit-il, plein d'espoir. J'ai tout de même peur que le père O'Reilly...

— Oubliez tout, mon ami. Demain, le monde sera à vous.

— Il y a bien Working Lad. Ça, c'est un cheval ! Et puis Sheila Boyne, elle fera du sept contre un... Est-ce que vous ne m'avez pas parlé d'un dieu de l'ancien temps... Hercule ? Il y a un Hercule qui court demain.

— Mon ami, mettez votre argent sur Hercule. Croyez-moi, il ne peut pas perdre.

Contre toute attente, Hercule, le cheval de Mr Rosslyn, gagna le lendemain le Boynan Stakes à soixante contre un.

A gestes précautionneux, Poirot défaisait un paquet exécuté avec soin. Tout d'abord le papier brun, puis de l'ouate et, enfin, du papier de soie.

Puis il posa sur le bureau d'Emery Power une coupe étincelante d'or et d'émeraude.

Le financier retint sa respiration.

— Je vous félicite, monsieur Poirot, dit-il enfin.

Le détective marqua une légère inclinaison du buste.

Emery Power toucha du bout des doigts le rebord du gobelet.

— C'est à moi ! fit-il d'une voix sourde.

— Oui, c'est à vous.

Power poussa un soupir puis il se redressa, s'appuya au dossier de sa chaise.

— Où l'avez-vous trouvée ? demanda-t-il d'un ton impersonnel.

— Sur un autel.

Power eut un sursaut.

— Oui, la fille de Casey était religieuse. A l'époque de la mort de son père, elle s'apprêtait à prononcer ses vœux définitifs. C'était une fille ignorante mais dévote. La coupe était cachée dans la maison de son père, à Liverpool. Elle l'emporta dans son couvent dans l'idée, je suppose, de racheter les péchés de son père. Elle la donna pour qu'elle servît à la gloire de Dieu. Je ne pense pas que les religieuses se soient jamais rendu compte de sa valeur. A leurs yeux, c'était un calice et l'on s'en servit comme tel.

— Quelle histoire extraordinaire ! Qui vous a donné l'idée d'aller là-bas ?

Poirot haussa les épaules.

— J'ai procédé... par élimination, dirons-nous. J'avais été frappé par le fait que l'on n'ait jamais essayé de vendre le gobelet. Cela donnait à penser qu'il se trouvait dans un endroit où l'on ne se préoccupe pas de la valeur matérielle des choses. Et je me suis souvenu que la fille de Patrick Casey était religieuse.

— Félicitations ! Donnez-moi le montant de vos honoraires et je vous signe un chèque.

— Je ne vous réclame pas d'honoraires.

— Comment ? dit Power très surpris.

— Avez-vous, quand vous étiez enfant, lu des contes de fées dans lesquels le roi disait : « Demandez-moi ce que vous désirez » ?

— Vous *demandez* donc quelque chose ?

— Oui, mais pas d'argent. Je voudrais formuler une simple prière.

— Laquelle ? Un tuyau en Bourse ?

— Ce serait de l'argent sous une autre forme. Non, c'est plus simple que cela.

— De quoi s'agit-il ?

Hercule Poirot posa sa main sur le gobelet.

— Renvoyez-le au couvent.

Il y eut un silence.

— Etes-vous complètement fou ? demanda enfin Emery Power.

Hercule Poirot secoua la tête.

— Nullement. Regardez, je vais vous montrer quelque chose.

Il prit le gobelet. Puis il introduisit le bout de son ongle entre les mâchoires ouvertes du serpent enroulé autour de l'arbre et il appuya. Une minuscule trappe s'ouvrit à l'intérieur de la coupe, à la base de la poignée ciselée.

— Vous voyez ? C'est par cette ouverture que le poison passait dans la boisson. Vous me l'avez dit vous-même, cette coupe a une histoire diabolique. Elle n'a laissé derrière elle que souvenirs de violence et de malheurs. Qui sait si le malheur ne vous atteindra pas à votre tour.

— Superstition !

— Peut-être. Mais pourquoi teniez-vous tant à la posséder ? Non pas pour sa beauté ni sa valeur. Vous avez des centaines — des milliers peut-être — d'objets rares et merveilleux. Vous vouliez conserver votre prestige. Vous n'entendiez pas être battu. Eh bien, vous ne l'êtes pas. Vous avez gagné ! Ce gobelet est entre vos mains. Mais, maintenant, pourquoi ne pas faire un grand, un très beau geste ? Renvoyez-le où il est resté en paix pendant près de dix ans, dans la pureté. Il a appartenu à l'Eglise autrefois, rendez-le à l'Eglise. Laissez-moi vous décrire l'endroit où je l'ai trouvé... Le Jardin de Toute Paix regardant par-delà la mer vers un paradis perdu de beauté et d'éternelle jeunesse.

Puis il dépeignit, très simplement, Inishgowlan et son charme.

Emery Power s'était mis une main sur les yeux. Il se taisait.

— Je suis né sur la côte ouest d'Irlande, dit-il enfin. Je n'étais qu'un enfant quand je suis parti pour l'Amérique.

— Je le sais, dit doucement Poirot.

Le financier se redressa, l'œil vif de nouveau.

— Vous êtes un être étrange, monsieur Poirot. Faites comme vous le désirez. Reportez ce gobelet au couvent, faites-en cadeau de ma part. Un cadeau coûteux. Trente mille livres... et qu'aurai-je, en échange ?

— Les religieuses diront des messes pour votre âme, répondit Poirot avec gravité.

Un sourire de rapace éclaira le visage de Power.

— Après tout, c'est peut-être un bon placement ! Qui sait, peut-être le meilleur de ceux que j'aurai jamais faits...

Dans le petit couloir du couvent, Poirot conta son histoire et rendit le calice à la mère supérieure.

— Dites-lui, murmura-t-elle, que nous le remercions et que nous prierons pour lui.

— Il a grand besoin de vos prières.

— Est-ce donc un homme bien malheureux ?

— Si malheureux qu'il en a oublié le sens du bonheur. Si malheureux qu'il ne sait pas qu'il l'est.

— Ah ! c'est quelqu'un de très riche...
Poirot ne répondit pas... il n'y avait rien à dire...

LA CAPTURE DE CERBÈRE
(The capture of Cerberus)

Repoussé de partout, évitant le contact d'un dos pour être projeté contre une épaule, pressé, laminé, malaxé, Hercule Poirot pensait avec amertume que la terre était beaucoup trop peuplée ! En tout cas, il y avait beaucoup trop de monde *sous* Londres à 6 heures du soir. Chaleur, bruit, odeurs déplaisantes et des mains, partout des mains ! De plus, l'humanité considérée dans sa masse n'avait vraiment rien d'attirant. Qu'il était donc rare de voir un visage brillant d'intelligence, une femme habillée avec goût ! Et cette rage qui les prenait de tricoter dans les endroits les plus incongrus, l'œil vide, les doigts frénétiques !

Poirot regardait, morose, les jeunes femmes qui l'entouraient : toutes semblables, dépourvues de charme, de féminité ! Ah ! croiser une femme du monde chic, spirituelle... une femme aux courbes généreuses, vêtue avec recherche. On en rencontrait, autrefois, mais maintenant...

La rame de métro s'arrêta. Des gens se ruèrent au-dehors, projetant Poirot contre la pointe menaçante des aiguilles à tricoter, d'autres se précipitèrent à l'intérieur, le comprimant un peu davantage. Puis le train repartit avec une violente secousse. Poirot fut propulsé contre une grosse femme encombrée de paquets. « Pardon. » Puis il reçut entre les côtes l'angle vif d'une mallette. « Pardon. » Il sentait ses moustaches pendre, désolées. Quel enfer ! Heureusement, il descendait à la prochaine station.

Une marée humaine le transporta jusqu'à un escalier roulant dont il se trouva occuper une marche sans qu'il eût de décision à prendre.

Quel bonheur de quitter les régions infernales, de monter vers la surface de la terre !... Même avec une valise dans les jarrets.

Et soudain quelqu'un cria son nom. Très surpris, il leva les yeux. Dans l'escalier roulant parallèle, celui qui descendait, une vision du passé. Une femme aux flamboyants cheveux roux couronnés d'un petit plateau de paille supportant une volière d'oisillons aux plumes chatoyantes. Une fourrure étrange entourait ses épaules.

Elle ouvrit très grand une bouche généreusement maquillée.

— C'est lui ! Oh ! très cher ! Quand nous revoyons-nous ?

Mais le destin lui-même n'est pas plus inexorable que peuvent l'être deux escaliers roulants marchant en sens inverse. Hercule Poirot montait et la comtesse Vera Rossakof descendait.

Hercule Poirot se contorsionna, se pencha sur la main courante :

— Oh ! chère madame, où puis-je vous trouver, cria-t-il, désespéré.

Sa réponse parvint, affaiblie, des entrailles de la terre. Pour inattendue qu'elle fût, elle sembla cependant très appropriée.

— *En enfer !*

Hercule Poirot cilla, ferma les yeux un instant. Puis il chancela. Il ne s'était pas rendu compte qu'il était arrivé à destination et il avait manqué la marche. Le flux et le reflux de la marée humaine continuaient autour de lui. Un peu sur la droite, une vague descendante lui indiqua l'emplacement de l'entrée de l'escalier roulant menant... mais oui, aux enfers ! C'était cela l'explication de la réponse de la comtesse.

Résolument, Poirot s'introduisit entre deux êtres humains, ses semblables, et entreprit de redescendre au centre de la terre. Mais, au pied de l'escalier, aucune trace de la comtesse. Quelle ligne avait-elle prise ? Celle de Bakerloo ou celle de Piccadilly ? Poirot se rendit sur les quais de chacune d'elles. La foule n'avait rien perdu de sa densité mais nulle part il n'aperçut la silhouette flamboyante de son amie russe, la comtesse Vera Rossakof.

Las, échevelé et infiniment triste, Hercule Poirot, une fois de plus, se laissa transporter vers la surface et émergea dans le chaos de Piccadilly Circus. Il arriva chez lui, fort agité.

Le sort veut que les hommes d'ordre et de petite taille soient attirés par les grandes femmes extravagantes. Poirot n'avait jamais pu se défaire de la fascination que la comtesse exerçait sur lui. Vingt ans au moins qu'il ne l'avait revue... et la magie demeurait. La femme qu'elle était se dissimulait à présent sous un maquillage évoquant un coucher de soleil de théâtre mais, pour Hercule Poirot, elle restait la Femme, l'Allure ! Ce qu'il y avait de bourgeois en lui admirait l'aristocrate en elle. Et cette façon si habile qu'elle avait de voler des bijoux ! Il se souvenait du magnifique aplomb avec lequel elle avait admis le fait. Une femme comme on n'en rencontrait pas une sur mille... sur un million ! Il l'avait retrouvée... reperdue !

« En enfer ! » Oui, il ne s'était pas trompé. Elle avait bien dit cela... Mais évoquait-elle le métro londonien ? Devait-on prendre ses mots dans un sens religieux ? En admettant que sa façon de vivre l'ait destinée à brûler en enfer à sa mort, la courtoisie la plus élémentaire, sa politesse russe l'auraient empêchée de laisser croire qu'Hercule Poirot y avait aussi sa place retenue.

Non, elle avait dû vouloir dire autre chose. Quelle

femme imprévisible ! Quelqu'un d'autre aurait crié : Le *Ritz* ou le *Claridge*, mais pour Vera Rossakof cela avait été *l'Enfer* !

Poirot poussa un soupir mais il ne s'avoua pas battu. Dans sa perplexité, il choisit la voie la plus simple et, dès le lendemain matin, il interrogea sa secrétaire, miss Lemon.

— Miss Lemon, puis-je vous poser une question ?

— Mais certainement, monsieur, répondit l'interpellée, les doigts en suspens au-dessus du clavier de sa machine à écrire.

— Si un ou une amie vous demandait de le retrouver en enfer, que feriez-vous ?

Miss Lemon n'hésita pas une seconde :

— Le mieux, dans ce cas, serait de téléphoner pour retenir une table, répondit-elle.

Hercule Poirot la regarda, totalement stupéfait.

— Vous... téléphoneriez... pour... retenir... une... table ? répéta-t-il.

Miss Lemon fit, de la tête, un signe affirmatif.

— Pour ce soir ? s'enquit-elle en attirant l'appareil téléphonique. (Ne recevant pas de réponse elle composa rapidement un numéro :) Allô ! Temple Bar 14578 ? *L'Enfer* ? Pouvez-vous réserver, s'il vous plaît, une table pour deux. M. Hercule Poirot. 23 heures.

Elle raccrocha et manifesta l'intention de reprendre son travail interrompu. Elle avait joué son rôle et attendait de son patron qu'il la laissât à sa tâche.

Mais Hercule Poirot avait besoin de quelques explications.

— Qu'est-ce que cet *enfer* ? demanda-t-il.

Miss Lemon eut l'air un peu surprise.

— Oh ! vous ne savez pas ? C'est un cabaret ouvert depuis peu et déjà fort en vogue. C'est une espèce de Russe qui le gère, je crois. Je peux vous faire avoir une carte de membre avant ce soir, très facilement.

Sur ce, estimant qu'elle avait perdu suffisamment de temps, miss Lemon coupa toute nouvelle tentative de conversation en se remettant à sa machine à écrire.

A 11 heures, le même soir, Hercule Poirot franchissait une porte surmontée d'une enseigne au néon. Un personnage en habit rouge l'accueillit, le débarrassa de son manteau et, d'un geste, lui indiqua un escalier descendant au sous-sol. Une phrase était inscrite sur chaque marche :

J'aurais bien voulu...
Passe l'éponge et recommence...
Je puis m'arrêter quand je le veux...

Au pied de l'escalier, un pont façonné comme un plateau enjambait un bassin plein de nénuphars rouges.

Poirot passa le pont. Sur sa gauche, dans une sorte de grotte en marbre trônait le chien le plus hideux, le plus gros et le plus noir qu'il ait jamais vu. Il se tenait très droit, dans une immobilité absolue. Peut-être, après tout, n'était-il pas vivant, songea le détective, avec espoir. Mais, au même instant, le chien tourna vers lui sa tête horrible et, du plus profond de sa vaste poitrine monta un grondement terrifiant. Puis Poirot remarqua une bannette pleine de biscuits de chien marquée *Un présent pour Cerbère*. Le chien les regardait fixement. Une fois encore, il gronda. Vivement Poirot saisit un biscuit et le lui lança. Le chien ouvrit une gueule gigantesque, happa le biscuit et referma les mâchoires. Cerbère avait accepté son présent et Poirot poursuivit son chemin.

La pièce dans laquelle il pénétra n'était pas grande. Elle était parsemée de petites tables et pourvue d'une piste de danse. L'éclairage était diffusé par des petites lampes rouges. Des diables à queue fourchue et des cornes sur la tête s'activaient autour d'un vaste grill.

— Ah ! vous êtes venu !

Avec toute l'impulsivité de sa race, la comtesse

Rossakof, vêtue d'écarlate, se précipitait au-devant de lui, les mains tendues.

— ... Cher, très cher ami, quelle joie de vous revoir ! Après tant d'années ! Combien ? Non, ne dites rien. Pour moi, c'était hier. Vous n'avez pas changé le moins du monde !

— Ni vous non plus, chère amie, répondit Poirot en s'inclinant sur sa main.

Cependant, il était sûr à présent que vingt années avaient pesé sur elle. C'était une ruine. Mais une ruine spectaculaire. Elle entraîna Poirot vers une table occupée déjà par deux personnes.

— Mon célèbre ami Hercule Poirot, annonça-t-elle. La terreur des malfaiteurs ! J'ai eu peur de lui, moi aussi, autrefois. Mais, à présent, je mène une vie si terne !... Pr Liskeard, continua-t-elle en présentant un homme d'un certain âge, mince et de haute taille. Il sait tout sur le passé et c'est lui qui m'a aidée dans la décoration de cette salle.

L'archéologue eut un léger frisson.

— Si j'avais su quelles étaient vos intentions, murmura-t-il. Le résultat en est si... déprimant.

Sur un mur, Orphée dirigeait un orchestre de jazz pendant que Eurydice regardait, pleine d'espoir, du côté des broches qui tournaient. En face, Osiris et Isis surveillaient les exploits natatoires de quelques jeunes gens dépourvus de vêtements.

— Le pays de la jeunesse, expliqua la comtesse qui, sans changer de ton, ajouta : Et voici ma petite Alice.

Poirot s'inclina devant le second occupant de la table, une jeune fille à l'aspect sévère, le nez chaussé de lunettes cerclées d'écaille.

— ... Elle est très, *très* intelligente. C'est une psychologue diplômée. Elle sait pourquoi les fous sont fous ! Il y a des tas de raisons à cela, paraît-il. Je trouve cela très curieux.

La jeune fille eut un sourire aimable mais un peu dédaigneux. D'une voix ferme elle demanda au professeur s'il aimerait danser. Il parut flatté mais un peu gêné.

— Mademoiselle, je ne sais guère que valser.

— Il s'agit précisément d'une *valse*, répondit Alice avec calme.

Ils se levèrent et gagnèrent la piste de danse. Le résultat ne fut pas heureux.

La comtesse Rossakof poussa un profond soupir.

— Et pourtant, dit-elle en suivant une idée inexprimée, elle n'est pas absolument laide...

— Elle ne sait pas tirer parti de ce qu'elle a, répondit Poirot.

— De mon temps, on faisait un effort pour plaire ! (Elle continuait et de toutes ses forces :) Il est stupide d'être satisfait de ce que la nature vous a donné ! Et de plus, c'est présomptueux ! Cette petite Alice écrit des volumes entiers sur les relations entre hommes et femmes mais voulez-vous me dire combien de fois on lui a demandé d'aller passer un week-end à Brighton ? Ah ! quand j'étais jeune...

— Au fait, chère madame, comment va votre fils ?

Poirot allait employer le terme « petit garçon » quand il se souvint que vingt années avaient passé.

Le visage de la comtesse s'éclaira.

— Ce cher ange ! Il est si grand, à présent, des épaules larges ; il est beau. Il est en Amérique. Il y construit des ponts, des hôtels, des chaînes de magasins, des chemins de fer, tout ce que veulent les Américains.

Poirot parut légèrement surpris.

— Est-il ingénieur, ou architecte ?

— Qu'importe ! Il est adorable. Il ne parle que de poutrelles métalliques, de force de résistance, que sais-je. Je n'y comprends rien. Mais nous nous adorons ! Et, par amour pour lui, j'adore la petite Alice.

Eh oui, ils sont fiancés. Ils se sont rencontrés dans un avion, un bateau ou un train et ils sont tombés amoureux, tout ça en parlant du bien-être des travailleurs. Quand elle vient à Londres, elle vient me voir et je la prends sur mon cœur.

La comtesse serra ses bras sur son ample poitrine.

— « Vous vous aimez, Niki et vous, je vous aime, mais si vous l'aimez, pourquoi le laissez-vous en Amérique ? » Alors elle parle de son travail, du livre qu'elle écrit, de sa carrière. Franchement, je n'y comprends rien. Mais, je l'ai toujours dit, il faut être tolérant. Et que pensez-vous, cher ami, de ce que j'ai fait ici ?

— C'est fort bien imaginé, et très chic.

L'endroit était comble et avait un succès incontestable. Les tenues de soirée voisinaient avec les costumes de ville et le genre bohème.

— Nous avons de tout ici. C'est ce qu'il faut, n'est-ce pas ? La portes de *l'Enfer* sont grandes ouvertes.

— Sauf peut-être pour les pauvres ?

La comtesse rit.

— Ne dit-on pas que le riche aura du mal à entrer au royaume des cieux ? Naturellement, il a priorité en enfer.

Le professeur et Alice revenaient. La comtesse se leva.

— Excusez-moi, j'ai quelque chose à dire à Aristide.

Elle échangea quelques mots avec le maître d'hôtel puis passa de table en table pour parler avec ses hôtes.

Le professeur s'épongea le front, vida le contenu de son verre et s'éloigna à son tour. Poirot, resté seul avec la sévère Alice, se sentit un peu embarrassé sous son froid regard bleu. Elle n'était, effectivement, pas laide mais elle était gênante.

— Je ne connais que votre prénom, dit-il.

— Dr Alice Cunningham, répondit-elle. Vous avez connu Véra, autrefois ?

— Il doit y avoir vingt ans de cela.

— Elle est intéressante à étudier. Naturellement, elle m'intéresse en tant que mère de mon futur mari mais aussi du point de vue professionnel.

— Vraiment ?

— Oui. Je travaille à un ouvrage de psychologie criminelle. La vie nocturne de cet endroit est très révélatrice. Nous recevons la visite régulière de nombreux types de criminels. J'ai discuté avec certains d'entre eux. Vous connaissez, bien sûr, toutes les tendances criminelles de Vera... je veux parler des vols qu'elle a commis.

— Euh... oui, en effet, répondit Poirot légèrement abasourdi.

— J'appelle cela le complexe de la pie. Elle ne prend que ce qui brille. Jamais d'argent. Toujours des bijoux. J'ai découvert qu'elle avait eu une enfance très protégée. Elle a trouvé la vie morne... et sans danger. Sa nature allait au drame... elle désirait être punie. C'est là qu'il faut trouver la racine de sa tendance au vol. Elle voulait la *notoriété* apportée par la *punition* !

— Je doute que sa vie ait été tellement morne et protégée en tant qu'aristocrate en Russie pendant la révolution, objecta Poirot.

Une lueur amusée passa dans les yeux bleu clair de miss Cunningham.

— Ah ! elle vous a dit faire partie de cette classe ?

— C'est indubitablement une aristocrate ! répliqua Poirot avec vivacité, refusant de se souvenir de la diversité des versions concernant sa jeunesse contées par la comtesse elle-même.

— Chacun croit ce qu'il désire croire, dit miss Cunningham en le jaugeant d'un œil exercé.

L'inquiétude gagna Poirot. Un instant encore et elle lui dirait quel était *son* complexe. Il décida de porter la guerre dans le camp ennemi. La société de la comtesse lui plaisait en partie à cause de ses origines nobles et il n'allait pas se laisser gâcher son plaisir par une gamine à lunettes, fût-elle docteur en psychologie !

— Savez-vous ce qui m'étonne ? demanda-t-il.

Alice Cunningham se contenta, en guise de réponse, de prendre une expression d'ennui teinté d'indulgence.

— Je m'étonne que *vous*, qui êtes jeune et pourriez paraître jolie si vous vous en donniez la peine, ne le fassiez pas. Vous venez ici où il règne une température de plus de 20°, habillée comme pour aller jouer au golf. Vous avez le nez rouge et luisant mais vous ne le poudrez pas. Vos lèvres sont mal maquillées ! Vous êtes une femme mais vous paraissez ne pas vous en rendre compte. Mais pourquoi donc ? C'est grand dommage.

Un instant, il eut la satisfaction de voir Alice Cunningham prendre une expression humaine. Un éclair de colère fit briller ses yeux. Mais elle reprit très vite son attitude de mépris souriant.

— Mon cher monsieur Poirot, j'ai l'impression que vous ignorez tout de l'idéologie moderne. C'est le *fond* qui compte et non pas les vains ornements.

Un très beau garçon brun s'approchait de leur table et elle s'anima.

— ... Voici un spécimen extrêmement intéressant, murmura-t-elle. Paul Varesco ! Il vit de l'argent que lui donnent les femmes. Il est curieusement dépravé ! Je voudrais qu'il m'en raconte davantage au sujet d'une nurse qui s'occupait de lui quand il avait trois ans.

Deux minutes plus tard, elle était entre ses bras. Il dansait de façon divine. Comme ils passaient à côté de sa table, Poirot entendit la jeune fille qui disait : « Et, après cet été passé à Bognor, elle vous a donné une grue miniature ? » Une grue, oui, c'est très suggestif.

Poirot songea qu'un jour l'intérêt que portait miss Cunningham aux criminels de types divers lui vaudrait peut-être d'être retrouvée dans un terrain vague, la gorge tranchée. Alice Cunningham lui déplaisait mais il était assez honnête pour en connaître la raison : Hercule Poirot ne l'avait pas impressionnée !

Puis il vit quelque chose qui chassa momentanément Alice de ses pensées. Un jeune homme blond, en tenue de soirée, occupait une table face à celle de Poirot, de l'autre côté de la piste de danse, tout en lui proclamait l'extrême aisance. Il était en compagnie du type même de la « fille chère ». N'importe qui aurait dit en les voyant : « Des oisifs pleins d'argent. » Mais le jeune homme n'était ni riche ni oisif. Il s'agissait en fait du détective inspecteur Charles Stevens et sans doute était-il là en service...

Le lendemain matin, Poirot fit une visite à Scotland Yard à son vieil ami l'inspecteur-chef Japp.

L'accueil de celui-ci le surprit.

— Vieux renard ! s'écria Japp, jovial. Je me demande comment vous arrivez à tout dénicher comme ça !

— Mais, je ne sais rien, je vous l'assure... rien du tout !

Japp ne le crut pas et le lui dit sans ambages.

— Vous voulez être renseigné sur cet *Enfer* ? En surface, c'est comme toutes les boîtes du même genre. Mais ça marche. Ils doivent faire de belles affaires car les dépenses sont très élevées. Officiellement, c'est une Russe qui mène la boîte, elle se fait appeler comtesse je ne sais pas quoi...

— Je connais la comtesse Rossakof, répondit Poirot avec fraîcheur. Nous sommes de vieux amis.

— Mais ce n'est qu'un prête-nom. Elle n'avait pas l'argent. Peut-être est-ce le maître d'hôtel, Aristide Papopolous — il est intéressé aux bénéfices mais nous n'en sommes pas sûrs. En fait, nous ne savons pas à qui cela sert de couverture.

— Et on y a envoyé l'inspecteur Stevens pour le découvrir ?

— Ah ! vous avez vu Stevens ? Le veinard ! Faire un travail comme celui-là aux frais du contribuable !

— Que cherche-t-il ?

— De la drogue. Un énorme trafic. Et on ne paye pas en argent, mais en pierres précieuses.

— Ah ! Ah !

— Voilà comment cela se passe. Lady Machin, ou la comtesse de Chose, éprouve du mal à trouver de l'argent et ne veut, en aucun cas, faire de prélèvements importants à la banque. Mais elle a des bijoux, des joyaux de famille parfois ! Un jour, elle les fait « nettoyer », ou « remonter » chez un spécialiste. Celui-ci dessertit les pierres et les remplace par des imitations. Quant aux pierres desserties, on les vend sur le continent. C'est une simple vente, pas de vol, pas de cris, rien. Que tôt ou tard, on découvre que certaine tiare, certain collier sont faux et lady Machin est tout innocence et désespoir. Elle n'a aucune idée comment et quand la substitution a pu se faire... jamais elle ne s'est séparée de son collier ! Et les pauvres policiers partent à la chasse, recherchant des femmes de chambre licenciées, des maîtres d'hôtel à l'air louche...

» Mais nous ne sommes pas aussi stupides que ces dindes veulent bien le croire. Le cas s'est produit plusieurs fois et nous avons découvert un facteur commun à tous : toutes ces femmes étaient manifestement droguées.

» Mais la question restait : où recevaient-elles leur drogue et qui menait le marché ?

— Et vous croyez que la réponse, c'est *l'Enfer* ?

— Oui, cela doit être le quartier général. Nous avons trouvé l'endroit où l'on travaille les bijoux. Une entreprise très respectable d'apparence, « La Golconde ». Il y a un certain Paul Varesco qui... ah ! je vois que vous le connaissez.

— Je l'ai vu à *l'Enfer*.

— C'est *en enfer* que je voudrais le voir ! C'est une ignoble crapule ! Mais les femmes, même convenables, lui mangent dans la main ! Il est plus ou moins lié à « La Golconde » et je suis convaincu que c'est à lui qu'appartient *l'Enfer*. L'endroit est idéal pour lui, tout le monde y va, des femmes du meilleur monde, des escrocs...

— Vous croyez que c'est là qu'a lieu l'échange, drogue-bijoux ?

— Oui. Je *crois* que c'est cette Russe qui se charge des trocs. Mais nous n'avons pas de preuve. Nous avons cru tenir quelque chose il y a quelques semaines. Varesco avait été à « La Golconde » où il avait pris livraison de pierres avant de se rendre directement à *l'Enfer*. Stevens le surveillait mais il ne l'a pas vu opérer d'échange. Quand Varesco est sorti, nous l'avons arrêté et fouillé : *il n'avait aucune pierre sur lui*. On a fait une descente dans la boîte, fouillé partout. Résultat : pas de pierres, pas de drogue !

— Un fiasco, en fait ?

Japp fit la grimace.

— Comme vous dites ! Ça aurait pu se solder par un échec total mais, dans le coup, nous avons ramassé Peverel, l'assassin de Battersea. Et on l'avait dit enfui en Ecosse ! Ça a fait une publicité du tonnerre au club. Il n'y a jamais eu autant de monde !

— Peut-être y a-t-il une cachette dans les dépendances ?

— Cela se peut, mais on a passé l'endroit au pei-

114

gne fin sans rien trouver. Et, tout à fait entre nous, on a fait faire une petite visite « officieuse » par un de nos hommes. Il a failli être taillé en pièces par le chien. Il couche dans les cuisines, cet animal.

— Cerbère ?

— Oui. C'est malin, comme nom ! Dites-moi, Poirot, si vous tentiez votre chance, vous ? L'affaire en vaut la peine. Et tout ce qui touche à la drogue !...

— Savez-vous quel était le douzième des travaux d'Hercule ?

— Aucune idée.

— « La capture de Cerbère ». Cela tombe bien, n'est-ce pas ?

— Je voudrais vous parler très sérieusement, dit Poirot.

Il était tôt et le club était encore presque vide. La comtesse et Poirot occupaient une petite table à côté de la porte.

— Mais je ne me sens pas sérieuse, protesta-t-elle. La petite Alice est toujours sérieuse, elle, et entre nous, je trouve cela plutôt assommant. Mon pauvre Niki, quel plaisir aura-t-il ? Aucun.

— J'éprouve pour vous beaucoup d'affection, continua Poirot sans se troubler, et je ne voudrais pas vous voir dans le pétrin.

— Mais que me dites-vous là ? C'est absurde ! Je suis au sommet du monde, l'argent ruisselle de partout !

— Cet endroit vous appartient ?

La comtesse détourna les yeux.

— Certainement.

— Mais vous avez un associé ?

— Qui vous a dit cela ? demanda-t-elle vivement.

— Votre associé est-il Paul Varesco ?

— Paul Varesco ? Oh ! Quelle idée !

— Il a un casier judiciaire très chargé. Beaucoup

de bandits fréquentent chez vous, vous en rendez-vous compte ?

La comtesse éclata de rire.

— Le bon bourgeois qui montre le bout de l'oreille. Bien sûr que je m'en rends compte ! Ne comprenez-vous pas que cela fait la moitié de l'attrait de la maison ? Les gens bien de Mayfair viennent ici pour y voir les autres. Cela leur plaît. Quelle délicieuse sensation aussi pour un respectable boutiquier ! Et, pour ajouter au plaisir, là, à cette table, en train de se caresser la moustache, un inspecteur de Scotland Yard, un inspecteur en habit !

— Ah ! vous savez cela ?

— Mais, mon cher ami, je ne suis pas si simple que vous le supposez !

— Faites-vous aussi le trafic de la drogue, ici ?

— Ah ! ça non ! Ce serait une abomination !

Poirot la regarda avec attention.

— Je vous crois, dit-il enfin. Mais, à qui appartient réellement cet établissement ? Dans ce cas, il est indispensable que vous me le disiez.

— A moi ! répliqua-t-elle d'une voix coupante.

— Sur le papier, oui. Mais il y a quelqu'un derrière vous.

— Savez-vous, mon cher, que je vous trouve trop curieux ? N'est-ce pas, Doudou ?

Elle saisit un os sur son assiette et le lança à l'énorme chien noir qui l'attrapa dans un formidable bruit de mâchoires.

— Comment appelez-vous cet animal ?

— C'est mon petit Doudou !

— Mais c'est ridicule !

— Il est adorable. C'est un chien policier ! Il sait tout faire, absolument tout. Attendez !

Elle se leva, jeta un coup d'œil autour d'elle puis elle s'empara d'une assiette que l'on venait d'apporter sur une table voisine et qui contenait un magnifique steak. Elle se dirigea vers la niche en marbre et posa l'assiette devant le chien tout en lui murmurant quelque chose en russe.

Cerbère resta les yeux fixés droit devant lui, sans accorder la moindre attention au steak.

— Vous voyez ? Et ce n'est pas une question de minutes ! Non, il restera comme cela pendant des heures, s'il le faut.

Puis elle prononça un mot à voix basse et, d'un seul coup, Cerbère allongea son grand cou et engloutit la viande.

Vera Rossakof se hissa sur la pointe des pieds et, entourant la tête de l'animal à pleins bras, elle l'embrassa avec frénésie.

— N'est-il pas gentil, quand il le veut ? Pour moi, pour Alice, pour ses amis... ils peuvent faire ce qui leur plaît ! Il suffit de lui donner le mot de passe et hop ! Je vous certifie qu'il pourrait déchiqueter... un inspecteur de police, par exemple ! Oui, le déchirer en tout petits morceaux.

Elle éclata de rire.

— ... Je n'aurais qu'à lui dire le mot !...

Poirot n'appréciait nullement le sens de l'humour de la comtesse. L'inspecteur Stevens courait peut-être un grave danger.

— Le Pr Liskeard désire vous parler, dit-il vivement.

Le professeur, debout à côté d'elle, la regardait avec reproche.

— Pourquoi m'avez-vous pris mon steak ?

— Ce sera pour jeudi soir, mon vieux, dit Japp. C'est Andrew, de la brigade des stupéfiants, qui s'occupe de l'affaire. Mais il sera content que vous en soyez. Non, merci, pas de vos sirops à la gomme, ça, me convient beaucoup mieux !

Son verre rempli et vidé, il poursuivit :

— J'ai l'impression que nous avons résolu le problème. Le club dispose d'une sortie secrète et nous l'avons trouvée !

— Où cela ?

— Derrière le gril. Il peut pivoter, en partie. Lors de la dernière descente, la lumière a été coupée au compteur. Il nous a fallu quelques minutes pour la remettre. Personne n'est sorti par la porte principale, elle était surveillée... mais nous avons examiné la maison mitoyenne et on a trouvé le truc.

— Et vous vous proposez de faire... quoi ? demanda Poirot.

Japp lui adressa un clin d'œil.

— La police apparaît, les lumières disparaissent et quelqu'un, placé de l'autre côté de la porte secrète, voit qui s'en sert. Cette fois, on les aura !

— Pourquoi jeudi ?

— Parce que, maintenant, nous connaissons les habitudes de « La Golconde ». On en sortira de la marchandise jeudi. Les émeraudes de lady Carrington.

— Vous permettez que je fasse quelques petits préparatifs ? demanda Poirot.

Le jeudi suivant, assis à sa table habituelle, proche de l'entrée, Poirot étudiait son entourage.

La comtesse était maquillée de façon encore plus flamboyante que d'habitude, si c'était possible. Elle était très russe, ce soir-là. Elle frappait dans ses mains, riait aux éclats. Paul Varesco était arrivé. Il avait renoncé à la tenue de soirée, irréprochable, qu'il portait parfois, pour se déguiser en apache. Il était séduisant et inquiétant. Se détachant des bras d'une grosse femme bardée de diamants, il s'inclina devant Alice Cunningham qui prenait des notes dans un calepin. Il lui demanda de danser. La grosse femme lança un regard venimeux à Alice et adorateur à Varesco.

118

Poirot saisit au passage des fragments de la conversation des deux danseurs. La jeune fille avait fait des progrès : de la nurse, elle en était arrivée à la directrice de l'école maternelle qu'avait fréquentée Paul Varesco.

Quand la musique cessa, Alice s'assit à côté de Poirot ! Elle était un peu agitée et semblait heureuse.

— Très intéressant, dit-elle. Varesco sera l'un des cas les plus importants de mon livre. On ne peut se méprendre quant au symbolisme. Mais je ne le crois pas irrécupérable...

— L'illusion la plus chère aux femmes est qu'elles se croient toujours capables de réformer la crapule.

— Je ne suis animée par aucun sentiment *personnel*, monsieur Poirot ! répliqua la jeune fille d'un ton froid.

— Mais c'est toujours comme cela, l'altruisme le plus pur, le plus désintéressé... mais, comme par hasard, l'objet de l'intérêt est toujours un très beau garçon. Etes-vous curieuse de savoir, par exemple, ce que j'étais quand j'allais en classe et comment se comportait la directrice avec *moi* ?

— Vous n'êtes pas un type de criminel.

— Et vous les reconnaissez, quand vous les rencontrez ?

— Evidemment !

Le Pr Liskeard vint s'asseoir à côté de Poirot.

— Vous parlez de criminels ? Vous devriez étudier le code d'Hammurabi, il date de 1800 avant Jésus-Christ. C'est fort intéressant : *L'homme qui est surpris à voler pendant un incendie sera jeté au feu.*

Il resta un instant à contempler le gril.

— ... Il existe des lois sumériennes plus anciennes, reprit-il. Qu'une femme haïsse son mari et ne le reconnaisse plus comme tel, on jette la femme dans le fleuve. Mais, que le mari éprouve les mêmes sentiments vis-à-vis de sa femme, il n'est tenu qu'à lui donner une certaine mesure d'argent. Personne ne le précipite au fleuve.

— Toujours la même histoire, dit Alice Cunningham. Une loi pour l'homme, une autre pour la femme.

— Les femmes, bien sûr, ont une appréciation plus grande de la valeur monétaire. Les Babyloniennes étaient remarquables pour leur sens des affaires...

Un brouhaha soudain couvrit les paroles du professeur. Quelqu'un cria : « La police ! » Des femmes se levèrent, affolées. La lumière s'éteignit brusquement et le gril électrique avec elle.

Quand la lumière fut rétablie, Poirot avait déjà gravi la moitié de l'escalier menant à la rue. Les policiers postés à la porte le saluèrent au passage. Il sortit. Un homme qui répandait une puissante odeur et dont la boutonnière s'ornait d'une rose rouge l'attendait le long du mur.

— Je suis là, patron, dit-il d'une voix rauque. C'est à moi de jouer ?

— Oui, allez-y !

— Dites donc, c'est qu'il y a des masses de flics dans le coin !

— Ne craignez rien. Je leur ai parlé de vous.

— Ils ne vont pas mettre leur nez dans le truc, non ?

— Non ! Etes-vous sûr de pouvoir faire ce que vous avez projeté ? L'animal est énorme et féroce.

— Il ne sera pas féroce avec moi. Avec ce que j'ai... n'importe quel chien me suivrait en enfer !

— Celui-ci doit vous suivre *hors* de l'enfer !

Le téléphone sonna au petit jour. Poirot décrocha.

— Vous m'avez demandé de vous appeler ? dit la voix de Japp.

— Oui, en effet. Eh bien ?

— Pas de drogue, mais nous avons les émeraudes.

— Où étaient-elles ?

— Dans la poche du Pr Liskeard.

— Du Pr Liskeard ?

— Ça vous surprend, vous aussi ? Franchement, je ne sais quoi penser. Il a eu l'air aussi étonné qu'un nouveau-né. Il a juré n'avoir aucune idée de la façon dont elles étaient venues dans sa poche. Et, bon sang, je crois qu'il disait la vérité. Le seul argent qu'il ait jamais dépensé dans sa vie ça a été pour l'achat de livres d'occasion. Non, ça ne colle pas. Je commence à croire qu'il n'y a jamais eu de drogue dans ce club.

— Oh ! mais oui, mon cher, il y en avait cette nuit même. Dites-moi, personne n'est passé par la sortie secrète ?

— Oui. Le prince Henry de Scandenberg et son écuyer — il était arrivé en Angleterre hier. Evans, le ministre travailliste ! Personne ne voit d'inconvénient à ce qu'un conservateur fasse la noce, on pense qu'il dépense son argent mais quand il s'agit d'un travailliste, le peuple croit aussitôt qu'il s'agit de l'argent du contribuable. Et, enfin, lady Béatrice Viner. Elle se marie après-demain avec le duc de Loeminster. Je ne crois pas qu'aucun d'entre eux soit mêlé à ce trafic.

— Vous avez raison. Mais, néanmoins, il y avait de la drogue au club, cette nuit, et quelqu'un l'en a sortie.

— Qui cela ?

— Moi, mon cher.

Et Poirot raccrocha pour entendre la sonnerie de la porte vibrer avec insistance. Il alla ouvrir et la comtesse Rossakof fit une entrée tumultueuse.

— Si nous n'étions pas trop âgés tous les deux, ce serait très compromettant pour moi ! s'exclamat-elle. J'ai obéi à votre mot et je suis venue. J'ai un policier sur les talons mais il peut attendre dans la rue. Alors, mon ami, de quoi s'agit-il ?

Galant, Poirot la débarrassa de ses renards.

— Pourquoi avez-vous mis les émeraudes dans la poche du Pr Liskeard ? demanda-t-il. Ce n'est pas gentil, ce que vous avez fait là !

La comtesse ouvrit des yeux immenses.

— Oh ! c'était dans votre poche que je voulais les mettre !

— Dans *ma* poche ?

— Oui. Je me suis précipitée vers la table que vous occupiez d'habitude mais les lumières se sont éteintes. J'ai dû me tromper de poche.

— Et pourquoi vouliez-vous glisser dans *ma* poche des émeraudes volées ?

— Enfin... j'ai réfléchi très vite et cela m'a paru la meilleure chose à faire.

— Vraiment, Vera, vous êtes impossible !

— Mais, mon cher, mettez-vous à ma place ! La police arrive, la lumière s'éteint (un petit arrangement pour les gens en vue qui ne veulent pas être gênés) et *une main s'empare de mon sac*. Je le tire à moi mais je sens, à travers le velours, quelque chose de dur à l'intérieur. Je l'ouvre. Au premier contact, j'ai vu de quoi il s'agissait et j'ai compris qui avait fait ça !

— Ah ! bon !

— Parfaitement ! Ce saligaud ! Ce vampire ! Ce monstre ! Cette ordure de Paul Varesco !

— Votre associé ?

— Oui, oui, c'est lui le propriétaire, c'est lui qui a apporté l'argent. Jusqu'à présent, je ne voulais pas le trahir. Je sais tenir parole, moi ! Mais à présent qu'il m'a joué ce tour, qu'il a cherché à me compromettre ! Ah ! je crache son nom, oui, je le crache !

— Calmez-vous et venez avec moi.

Il ouvrit une porte donnant sur une petite pièce qui, un instant, parut ne contenir qu'un CHIEN. Cerbère, impressionnant déjà à *l'Enfer*, semblait occuper entièrement la petite salle à manger de Poirot. Mais l'homme à l'odeur puissante était avec lui.

— Doudou ! s'écria la comtesse. Doudou, mon ange !

Cerbère frappa le sol de sa queue mais ne remua pas.

— Permettez-moi de vous présenter Mr William Higgs, dit Poirot. Mr Higgs a convaincu Cerbère de le suivre cette nuit.

— *Vous ?* (La comtesse étudia d'un air incrédule la petite ossature de l'homme et sa tête de rat.) Mais comment ? .

Mr Higgs baissa les yeux d'un air pudique.

— C'est difficile à dire devant une dame. Mais c'est un truc à quoi un chien ne résiste pas. Bien sûr, ça ferait pas le même effet sur une chienne, vous saisissez ?

La comtesse se tourna vers Poirot.

— Mais pourquoi ?

— Un chien bien entraîné gardera un objet dans sa gueule jusqu'à ce qu'on lui dise de le lâcher. Pendant des heures, si besoin est. Voulez-vous, à présent, dire à votre chien de rendre ce qu'on lui a donné ?

Vera Rossakof eut l'air un peu surprise puis elle prononça deux mots brefs.

Cerbère ouvrit ses formidables mâchoires et, spectacle fort gênant, il parut cracher sa langue...

Poirot se baissa et ramassa un petit paquet enveloppé de tissu caoutchouté rouge. Il le défit. Il était plein de poudre blanche.

— Qu'est-ce que c'est ? demanda la comtesse.

— De la cocaïne. Il n'y en a pas beaucoup, n'est-ce pas ? Mais suffisamment pour être payé des milliers de livres par ceux qui en veulent... assez pour apporter la ruine à plusieurs centaines de personnes...

— Et vous croyez que je !... s'écria-t-elle. Je vous

jure que ce n'est pas moi ! Dans le temps, je me suis amusée avec quelques bibelots... cela aide à vivre. Et pourquoi quelqu'un aurait-il un objet qu'une autre personne n'a pas ?

— C'est ce que je pense quand je vois un chien, fit remarquer Mr Higgs.

— Vous n'avez aucun sens du bien et du mal, dit Poirot d'un ton de reproche.

— Mais de la *drogue* ! Ah non ! Je n'avais pas la moindre idée que l'on utilisait mon si délicieux petit « Enfer » pour *ça* ! Dites-moi, vous me croyez ? implora-t-elle.

— Mais, bien sûr, je vous crois. Ne me suis-je pas donné la peine de convaincre le véritable organisateur de ce trafic ? N'ai-je pas exécuté le douzième des travaux d'Hercule et sorti Cerbère des Enfers ? Car je n'aime pas que l'on s'en prenne à mes amis. C'est vous qui auriez payé si les choses avaient mal tourné. C'est dans votre sac que l'on devait trouver les émeraudes et si quelqu'un avait été assez intelligent (comme moi) pour regarder dans la gueule d'un chien féroce, eh bien, on aurait découvert la drogue dans celle de *votre* chien. C'est le vôtre, n'est-ce pas, même s'il acceptait la « petite Alice » au point d'obéir à ses ordres ! Oui, vous pouvez ouvrir les yeux. Cette jeune personne, son jargon scientifique et son costume de sport à grandes poches m'ont déplu dès le début. C'est tout à fait anormal qu'une femme manifeste un tel mépris pour son apparence. « C'est le fond qui compte ! » Et les poches ! Des poches dans lesquelles elle peut transporter drogue et bijoux. L'échange est facile à faire quand elle danse avec son complice qu'elle prétend considérer comme un « cas ». Quelle belle couverture ! Qui ira soupçonner le docteur en psychologie ? Elle peut amener ses riches patientes à prendre l'habitude de la drogue, elle place l'argent dans une boîte de nuit qu'elle s'arrange pour faire gérer par quelqu'un qui... a eu quelques faiblesses, autrefois. Mais elle méprise Hercule Poirot ! Eh bien, on va voir ! Quand les lumières se sont éteintes, je me suis levé et je me suis vivement placé à côté de Cerbère. J'ai entendu « la petite Alice » venir. Elle a fait ouvrir la bouche du chien, lui a mis le paquet dedans et moi, très doucement, avec une petite paire de ciseaux, j'ai enlevé un morceau du tissu de sa manche. Je le donnerai à Japp qui fera la comparaison, l'arrestation et proclamera que Scotland Yard, une fois de plus, a été très habile !

La comtesse Rossakof le regardait, stupéfaite. Puis elle émit un hurlement de corne à brume.

— Mais, mon Niki, mon Niki ! Cela va être terrible pour lui... à moins ?...

— Il y a beaucoup d'autres filles en Amérique.

— Mais, sans vous, sa mère serait en *prison*, avec les cheveux tondus ! Oh ! vous êtes merveilleux, merveilleux !

Elle fit un bond, se jeta au cou de Poirot et l'embrassa avec une ferveur très slave, sous le regard appréciateur de Mr Higgs.

Cerbère remuait la queue.

Le bruit de la sonnette résonna en plein milieu de cette scène de réjouissance.

— Japp ! s'écria Poirot en se dégageant.

— Peut-être vaudrait-il mieux que je passe à côté ? suggéra la comtesse qui disparut.

Poirot s'apprêtait à aller ouvrir à l'inspecteur quand Mr Higgs le retint.

— Eh, patron ! Feriez peut-être bien de vous regarder dans une glace, dit-il.

Poirot suivit son conseil et l'aspect qu'il présentait le fit reculer : son visage était zébré de rouge, d'ocre et de noir.

— Si c'est Mr Japp, de Scotland Yard, il va s'imaginer le pire, sûr...

Une semaine plus tard, miss Lemon apporta une facture à son patron.

— Excusez-moi, monsieur Poirot, mais dois-je payer ceci ? « Leonora, fleuriste. » Roses rouges, onze livres, huit shillings, six pence, envoyées à la comtesse Vera Rossakof, *l'Enfer*.

Poirot rougit jusqu'au blanc des yeux.

— C'est parfaitement en ordre, miss Lemon. Un petit... euh... tribut... Une occasion. Le fils de la comtesse vient de se fiancer en Amérique avec la fille de son patron, un magnat de l'acier, il me semble. Elle a toujours beaucoup aimé les roses rouges.

— C'est fort possible, mais elles sont chères à cette époque de l'année.

— Il y a des moments où l'on ne doit pas faire d'économies, répondit-il.

Puis, d'un pas léger, élastique, Poirot sortit en fredonnant, suivi par le regard stupéfait de sa secrétaire.

— Mon Dieu ! murmura-t-elle. A *son* âge ! Oh !... Non !

Le Club des Masques

ALDING Peter
531 Le gang des incendiaires

BAHR E.J.
493 L'étau

BARNARD Robert
535 Du sang bleu sur les mains
557 Fils à maman *(juil. 85)*

CARR John Dickson
423 Le fantôme frappe trois coups

CHEYNEY Peter
  6 Rendez-vous avec Callaghan
 23 Elles ne disent jamais quand
 31 Et rendez la monnaie
 41 Navrée de vous avoir dérangé
 57 Les courbes du destin
 74 L'impossible héritage

CHRISTIE Agatha
(85 titres parus, voir catalogue général)

CURTISS Ursula
525 Que désires-tu Célia ?

DIDELOT Francis
524 La loi du talion

ENDRÈBE Maurice Bernard
512 La vieille dame sans merci
543 Gondoles pour le cimetière

EXBRAYAT
(96 titres parus, voir catalogue général)

FERM Betty
540 Le coupe-papier de Tolède

FERRIÈRE Jean-Pierre
515 Cadavres en vacances
536 Cadavres en goguette

FISH et ROTHBLATT
518 Une mort providentielle

FOLEY Rae
517 Un coureur de dot
527 Requiem pour un amour perdu

GILBERT Anthony
505 Le meurtre d'Edward Ross

HINXMAN Margaret
542 Le cadavre de 19 h 32 entre en gare

IRISH William
405 Divorce à l'américaine
430 New York blues

KRUGER Paul
513 Brelan de femmes

LACOMBE Denis
456 La morte du Causse noir
481 Un cadavre sous la cendre

LANG Maria
509 Nous étions treize en classe

LEBRUN Michel
534 La tête du client

LONG Manning
519 Noël à l'arsenic
528 Pas d'émotions pour Madame

LOVELL Marc
497 Le fantôme vous dit bonjour

MARTENSON Jan
495 Le Prix Nobel et la mort

MONAGHAN Hélène de
452 Suite en noir
502 Noirs parfums

MORTON Anthony
545 Le baron les croque
546 Le baron et le receleur
547 Le baron est bon prince
548 Noces pour le baron
549 Le baron se dévoue *(avril 85)*
550 Le baron et le poignard *(avril 85)*
552 Le baron et le clochard *(mai 85)*
553 Une corde pour le baron *(mai 85)*
554 Le baron cambriole *(juin 85)*
556 Le baron bouquine *(juil. 85)*

PICARD Gilbert
477 Le gang du crépuscule
490 L'assassin de l'été

RATHBONE Julian
511 A couteaux tirés

RENDELL Ruth
451 Qui a tué Charlie Hatton ?
501 L'analphabète
510 La danse de Salomé
516 Meurtre indexé
523 La police conduit le deuil
544 La maison de la mort
551 Le petit été de la St. Luke *(juin 85)*

RODEN H.W.
526 On ne tue jamais assez

SALVA Pierre
475 Le diable dans la sacristie
484 Tous les chiens de l'enfer
503 Le trou du diable

SAYERS Dorothy L.
400 Les pièces du dossier

SIMPSON Dorothy
537 Le chat de la voisine

STOUT Rex
150 L'homme aux orchidées

STUBBS Jean
507 Chère Laura

SYMONS Julian
458 Dans la peau du rôle

THOMSON June
521 La Mariette est de sortie
540 Champignons vénéneux

UNDERWOOD Michaël
462 L'avocat sans perruque
485 Messieurs les jurés
531 La main de ma femme
539 La déesse de la mort

WAINWRIGHT John
522 Idées noires

WATSON Colin
467 Cœur solitaire

WILLIAMS David
541 Trésor en péril

WINSOR Roy
491 Trois mobiles pour un crime

IMPRIMÉ EN FRANCE PAR BRODARD ET TAUPIN
58, rue Jean Bleuzen - Vanves - Usine de La Flèche.
ISBN : 2 - 7024 - 0074 - 4

H 31/0145/8